女肉男食

ジェンダーの怖い話

笙野頼子

鳥影社

前文　ＬＧＢＴ理解増進法に隠された秘密、毒饅頭、その危険性とは？

二〇二一年、ひとつの悪法の法案が日本を襲っていた。それは一見性的少数者のために作られていながら、実は海外からもたらされた巧妙な毒が、途中から忍び込んでしまったものであった。その結果、……。

それは国民の全体の人権、女権、言論剝奪をするための法案となっていた。最後には児童の健康と未来さえ奪う可能性のあるものであった。

海外から押し寄せたその正体をマスコミも学術も隠していた。そんな中この危険性を知っていたのは、ごく一握りの市井の、大半はフェミニストとも言えない女たちであった。

勉強熱心で善意の彼女たちは、海外のニュースを自分で翻訳したり、或いはツイッターや知り合いからの情報で知ったりして、この悪法の上陸を止めようとした。

そんな彼女らの後を追いながら、私もなんとかして止めようとした。しかし止めようとするとこの人々（と私）は「ＴＥＲＦ＝ターフ（後述）」と呼ばれ、殴れ殺せ犯せと脅かされた。その結果恐怖で病気になったり、活動をリタイアした女性もいた。元々そんなに丈夫なエリートはいない集団である。

性的被害者など、相当な弱者もそこには含まれていた。海外ではユダヤ人の女性もいた。しかしそれでも、……。

或るものは性犯罪を防ぐために、或るものは自分達の幼い娘やごく小さい男の子を守るために、あるものは人間の現実や身体や医療、教育を守るために、その他に言論の自由をまた、女という主語、母という言葉を守るために出来る事をした。

この悪法は最初、穏健な無害な総体を持っていた。しかしそこに毒饅頭が入るであろう事は新世紀の「良法」の常として予想されていた。というわけで、……。

一方にLGBT理解増進法案という、究極の選択だとまだしも穏健な法案があった（でも本当はこれにも根本からの改正が必要である、まだまだ作ってはいけない）。これに対してLGBT差別解消法案という、ファシズムの法案がそこに関与するための折衝を始めた。

大変皮肉な事にこの穏健な方の法案を作ったのは自民党だった。一方、逆のファシズム的な法案を作ったのがなんと野党だった。つまり？

これは人類の転機だった。かつては権力に対抗していた頼るべき野党が、この時点この問題に際しては政府などよりずっと大きな権力に身を売ったのだ。これは政府が国に閉じ込められている間に、野党が多国籍企業や世界的な富豪の財団との同行を選んだという意味なのである。新世紀とは変節の時代だった。で、毒饅頭はいつ、どこに入ったのか？

与野党合意案は未だ正式に公開されていないものの、議論で公開されている部分を述べる。それは二〇二一年の国会上程直前、野党側と稲田朋美氏等の歩み寄りにより、「性的指向および性自認を理由とする差別は許されない」という一文として与党側案の内側に忍び込んだ、危険、危険。

しかもこの饅頭、どうやっても人が殺せるように何種類もの毒が仕込んであった。

まず、「差別は許されない」という横暴な一句である。これは最終章で後述するけれど、例えば何が差別かの定義さえない。禁止の程度も明示していない。他の人権との折衝も出来なくなっている。ひとこと「差別」と言いさえすればなんでも取り締まれるファシズム法である。かつて流れた悪法「人権擁護法」そっくりの構造であった。

それればかりではない、実はここに性自認という、一般の見慣れぬ新しい言葉が入っていた。これが本陣、曲者である。

この、性自認とは何か？　ジェンダーアイデンティティーという語の新訳である。これは今までの旧訳（性同一性という）が苦労して身につけてきた穏健性や、してきた議論を一発で無効にしてしまうだけの地獄の一語だった。

というかそもそも今までの日本ではこの性同一性という言葉を使う法律は常にその牽制と制限を旨としてきた。檻に入っていた。が、……。

要するにこの新語により今まで折衝してきたものが全てなくなるのだった。それは解き放たれた猛獣となるであろう。なおかつ「差別は許されな」くなる。その結果なくなるのは主に弱者の生存権、言論の自由、子供の未来。この危険性について、最近の私はずっと訴えていた。

無論、アイデンティティー、などという語の方を私は非難してない。私が非難しているのはジェンダーの方、ジェンダーという語が危険だと言ってきた。

この新世紀において、ジェンダーとついたらまあ原発も同然。そもそもこの一語、個人の胸の内や文学の中にあるのなら何の問題もない。つまり、結局は毒なのだ。でも作品や個人の中にあればそれは内面の宝、文学の毒。

しかしそんなものを法律や行政がそのまま無防備に扱っていいはずはない。特に人権法において批判否定の意図なしに使ってあったら危険、そうなると悪魔の性自認、恐怖の新世紀ジェンダーである。

要するにこの言葉を法律にこのまま入れれば一発でアウト、絶対に定義と制限を掛けなければならない。ていうか基本客観肯定してはならない言葉である。だって、主観だから。

どのような人権も性自認で守ると暴走する謎人権になってしまう。守るのなら性自認に厳しい制限をかけるか、他の人権を使って守るべきなのだ（自由権だとか）。

性自認は個人の心に宝物としてある。そもそも私はこれを使って小説を書いてきた。しかし他人に強制的に認めさせてはいけないと思っている。そうなった悲劇の国も小説に書いている。

性自認法は、国民や現実、人体をも、ナチスハイデガー的唯心論、カルトの奴隷にする。具体的に言うと？

性犯罪の増加、女性憎悪の正当化、言論規制の徹底化、統計の無効化、医療の後退、同性愛者、特にレズビアンへの性的弾圧。世界各国で魔女狩りが起こっている。何よりも、児童（同性愛の児童含）に不可逆の医療虐待をするのが人権になってしまう。

やっている国はアメリカ、イスラム、ヨーロッパの先進国、総計で二十数カ国である。なお、もっとも「最先端」を歩んでいたイギリスにおいて漸くその愚劣さと悲劇が知られるようになり、修復が始ったところである。で？

さて、一昨年の日本、オリンピックレガシーと人権と反差別の美名の元……。

ついにこの性自認が上陸しようとした時、何ということか、……。

与党の保守と市井の女達という、まことに「ぱっとしない」人々だけが奇跡の連帯によってそれを止めた。市井の女たちは危機を知らせ、助けてくれた勉強家の議員がいた。

その結果、なんとか無事に二年間が過ぎた。無論あちこちで心配な事は起こっていた。

とはいえ悪法それ自体は国会に上程されず、専門家でも「廃案」と間違える状態になっていた。が、

……。

これ、実は棚上げになっていただけだった。そしてその棚上げ状態の、名前ばかりＬＧＢＴと付いたこの、反女性、反子供、反同性愛、反両性愛、反性転換者法はまさにゾンビとして蘇った。

二〇二三年節分、首相秘書官のオフレコ暴言を報道した毎日新聞の筆が、性的少数者に対する首相の謝罪を生み、さらには政府がＧ７に間に合うような、早期立法を目指すという形で再燃した。でも、Ｇ７各国では、……。

既に米国で各州によって反ＬＧＢＴ法というよりも反性自認法、反ジェンダー法（後述）が次々と成

立し続け、イギリスもこのLGBT中のTだけに対する離反政策を取りはじめているのである。ただ非常に手こずっている。でも民意は強固なもの、既に各国で、……。

人々は左側から来るファシズムという、かつて丸山眞男が言及したものの脅威にさらされて戦っている。そして、日本……。

再燃したこの審議に際して、立憲民主党代表の泉健太氏は「秘書官が同性婚についての発言に笑った」、「秘書官が同性婚についての泉氏の発言で首を横に振った」等の理由で与党サイドを糾弾している。

また、中曾根元外相がこの「差別は許されない」という文言への懸念として、氏本人の地元において「ゴルフ場の女性トイレに男性が入ってきて、「私は女だ」と言うことでトラブルがあった」と、さらに「管理している人が、「出ていって」と言った場合に、「差別だ」と言われかねない」と述べたところ、LGBTの旗手で元国会議員の尾辻かな子氏はこの発言をヘイトスピーチと判定し論難を始めた。しかもその間に地方は何をしているかというと、……。

一斉に各都道府県で地方選挙に合わせて、この性自認が入ってしまうかもしれない政策を検討し始めたのだ（すでに悪夢としか）。「国民なめるな」から「性別消すな（後述）」へのシュプレヒコールをするしかない、が、残念……。

野党は既に国民の味方ではなくなっていた。作者の地元、千葉県の日本共産党ナンバー2、千葉書記長が、トイレで女子高生の排泄を盗撮して逮捕された。この人物は党に従って性自認を推奨していた。党は彼を処分した。しかし共産の性自認推しは変わらなかった。

とはいうものの、世間はそんなに悪い事ばかりではない。例えば今同性婚についての応援の声が上がっている。これ実に結構な事である。が、……。

ちょっと気づいてみてほしい、同性婚ならＬＧＢである。しかし今回の法案はＬＧＢＴとなっている。このＴに実は性自認が入っているのである。このＴがなければ同性婚は夢じゃないのである。ていうかその一方、Ｔ本体の中だって気の毒な人が一杯いるし、弱者もいる。

ただ、問題なのはＴを定義する或いは守る時に入ってくる、性自認という言葉、超危険なのだ。なのでＴは本来ＬＧＢとわけて守るようにするしかない。

でもこうやって必ず、ＬＧＢＴにはＴが、正確にはＴに忍ばせたウィルス、毒饅頭＝性自認が入ろうとするのである。それは新世紀の趨勢なので、同性婚をするのならウィルス隔離をしてからしなくてはならない。しかし、……。

下手にそう言うと、「ヘイトスピーチ」と言われるのだ。「お前同性愛を憎悪しているな」などと。でもしていない。ただ性自認と一緒に通すと同性愛の人も異性愛の人もひどい目にあうよと言っているだけである。

ＬＧＢとＴ、ＬとＢとＧとＴ、別れていれば無問題、それぞれ別の守り方がある。利益相反も調整できる。でもひとつに固めていないと気に入らない人々がいる。少数だが世の中を危険にしたい人々である。彼らはこの性的少数者運動をのっとっている。それで利益を得ようとする世界の富豪や企業と連帯している。彼らの名称はＴＲＡ（後述）。

なおこのようなＬＧＢＴ（＝性的少数者併合）運動は、今やひとりひとりの性的少数当事者とは何の関係もない。それは本来の性的少数者に対する、のっとり、なりすまし、既に敵なのである。ＬＧＢＴと来たら、時にはひとつのカルト運動の、まぎらわしい通称に過ぎない場合がある。その上最近ではここにＱ（ＬＧＢＴＱ後述）まで添付されている。

ともかくこの大きい主語は良くない。なお、その証拠として、……。

ＬＧＢＴの特にＬとＴの間の利益相反は凄まじく、その争いの中で「女性だけのコンサートを求めた」レズビアンの一家が、女性を名乗る男性身体の人物に、同居の一家が黒人の養子まで皆殺しにされている。また、このような対立の故に各地でＴとＬＧＢの分離運動が起こり、ＬＧＢアライアンスという世界組織が生まれている。Ｌだけで独立したいという意見もある。

さらに昨年十一月米国において、トランスジェンダーの一種であるノンバイナリー（心に性別がないと自認している人、風呂やトイレは好きな方に入れる国もある、男でもガールスカウトの指導員になり、合宿で一緒に寝るケースがある）を名乗る男性身体人物が、性的少数者の集う店の中で、……。「トランスジェンダー追悼の日」の前日であるにも拘わらず銃を乱射し、五人を殺し、二十五人を負傷させている。そう、団結をうたうはずの性的少数者の集合体の中でまさにヘイトクライムとしか言いようのない惨劇があったのだ。これで団結か？　主語をひとつに出来るのか？　連帯が可能なのか？　その上、実はＴという纏まりの中にも凄い対立がある（これは難しいので後述）。

まったくこんなので一体どうやって、権利を保護したり差別や争いをなくしたりする法が作れるのだろう。

私たちはただ騙されて海外のゲイフォビアや憎しみを輸入させられ、日本独特の同性愛の歴史、或いはゲイタレントに対する親しみや自然な感覚を潰されていくのである。今まで「知ってる」と思って手を振っていた相手に、今後はがちがちに緊張しながら「私は罪人なのターフなの」と思いながら隠れる羽目になる。そうして結局、日本とそこに住む人々は全部、一神教唯心論、西洋風カルトの植民地にされてしまうのだ。

仮にもし植民地にされたら、日本に生活する女とその産んだ子供はこのまま家畜にされ、滅んでしまうのだ。そもそもこの運動はバイデンの世界戦略だから政府も無下に出来ないというだけの話なのだ。

何よりも、わが国はまたキリスト、イスラムのような一神教の唯心論文化圏と異なり、肉体、現実を重視する仏教国である。魂の性別、性自認とか言われても、余程自分の身体に違和感のある人でない限りまったくピンと来ない。ていうかそういう人でさえ「性自認、判らん」と言う人がいる。

ことにＴ当事者の中にさえこの立法に反対する人々がいる。「私は性的少数者だがＬＧＢＴは大嫌いだ」という発言さえしばしば見られるのだ。名出しでこの法案に反対している人物もいる。彼らは性自認、がそのまま法案に入ってしまえば、同性愛者もひどい目にあうと知っているのである。

にもかかわらず、このＬＧＢＴ法案は国民の同性婚支持を隠れ蓑にして、今ついに国会に上程されようとしているのである。という事は？

別に私はＬもＧもＢもＴも責めていない。私には連帯しているＬもＢもＧもＴもいる。感謝されることもある。だってそんな勝手に名乗ったような人々が乗っ取りした運動をしていて、次々とおかしな政策がまかり通ろうとし、その結果当の本人達は別に悪くもないのに憎まれて損したりしているのだから。

ＬＧＢなどはこのＬＧＢＴという不当な団結形態によって権利を削られて同性婚や理解増進の目的を邪魔されている。Ｔもカテゴリー自体変にされているので当事者は全員、何かしら損をする。しかしそうすると悪いのは誰なのか？

この不当な併合運動をしている西洋かぶれの似非左翼活動家と、それの支えになっているジェンダー思想、ジェンダー主義である。まず性自認のジェンダー、そしてジェンダー平等、ジェンダーと付けば困難がやって来る。理由？　そのうしろにすべてジェンダー主義、思想があるからである。というわけで、……。

結論、ジェンダーという言葉を使ってする言葉遊び的なカルト思想＝ジェンダーイデオロギー、私はまずこれを批判しその危険性を報道するしかない。

学問としてではなく、市井の私小説家として、ジェンダーという言葉が新世紀に入り、どのようにおかしくなり狂っていきたかを今ここに告発する。

その上で右も左もないこの不可解な事態を可視化したいのだ。

さあ、女を消したいか、子供をとられたいか、家族を壊されたいか？

なお、次ページの目次の字はひとつだけ大きくなっている。そこをまず見てください。

緊急出版に際して　　二〇二三年二月二十六日

目次

1　ジェンダー？　それは新世紀に突然変異して謎人権と化したウィルスである

さて皆さん、……。

まず、「ジェンダーとは何か？」からですよね、例えばジェンダー平等、これ現在よく聞く言葉ですが本当の意味をご存じでしょうか？　などと言いながら実は、実際どうお伝えしたら良いのか悩みつつ始めます。というのも、最近また一層事態の説明が困難になりましたので。つまりこれに関する年来の言論統制、メディアの圧殺に加えてですねえ……。

横文字を使って無辜の市民を騙そうとする人々が、わざと難解に作り込むその速度も速すぎて、その上、うちのパソコンへニュースより少しは速く来る、国会、与党の情報も刻々と変わり続けているし、でも今とっさにその本当のところ、現在最新の意味を説明してみますね。途中で？？？とお思いになるかもしれませんが。でも、これ全部、事実なんですよ。

私はここのところ、この件、このジェンダーの危険性を訴えつづけている故に「あれは狂人、すべてデマ」などと言われ、最近は「極右、統一協会、Ｑアノン、トランプの回し者、ナチスまがいの差別者」とまでも言われています、けどね、……。

　実はこれでも二〇一七年の赤旗に参院選の総括を書いた人間で、国政選挙のすぐ後、社会面のどまん中に顔写真があったわけです。当時はそこの連載対談もやっていました。国会前のデモに顔を出すと、喜んでくれる人々もいたのに、今はよりにもよって、共産党の支持者と称する人々（の中のジェンダー主義者）から、急に「極右の回し者」にされているのですね。同じようにして、この問題で党に切り捨てられ、離党したり支持をやめた女性達がそう言われています。というわけでまず、結論から言うと？　私は、反ジェンダーです。そして、この反ジェンダー本の半分に書いてあるのは、大変悲しい事ながら今の共産党始めとする野党、左翼、学術、「良心的」マスコミ、つまりジェンダー主義者への批判なんですね。またその批判の目的は皆さんに、この、一見進歩的、実は魔女狩りという現況について、緊急でお伝えする事なんです。

　なお国際化の今、問題は海外と繋がっていて、とても自分だけでは検証し得ない大量の外国情報を判断するしかなく、詳しい方々に無償で助けて頂き、事実確認を致しました。

　さらにその他に、私自身で探した証拠や相手方メールの画面写真等も持っています。例えば？　私は共産党からの、本件に関するメールを最初要約でネットで紹介、その後結局全文丸ごと公開した事のある人間です。でも、なぜわざわざそんな事を？　ええ自由な議論を求めたんです。というのもやはり、ジェンダーの議論、告発がどこでも禁じられているからなんです。私や仲間が危険性に気付いた時には既にそうなってしまっていました。

特にネット、言及すれば叩かれる、ツイッターでは共産党支持者を自称する人たちがこのジェンダー議論を邪魔して黙らせていました。なのでこのような妨害を止めて貰おうと党に請願し、資料を届け、良い回答を得ました。でも結局空約束、私は騙されたんです。

最初のうち、まだ共産党を信じていた頃の私は「ジェンダーについて議論しても良い、それは差別ではない、党は一方的糾弾などには与しない」という判断を私に向けて示した「共産党の見解」を信じて要約して出していたものです。ところが党側は私がこれを発表すると程なく、ウチはこんなの知らない、捏造だろう、と言い始めました。なので本物ですよという証拠として、やむなくメール全文の写真を出すはめになりました。すると党側は結局この返答を「公開を予定したものでない」と（世間に）説明したんですね。しかし私、別に公開するなとか言われてなかったですよ？　そもそも党が私に公的見解のふりをしてありもしない見解を見せたという事なら、共産は二枚舌という証拠になりますし。なお、そんな不条理な結果の原因は？　ほら、「ジェンダー平等委員会」です。つまりジェンダーの専門機関、本当にそんなのでいいんですかね？　それからというもの、……。

きちんと証拠を出した私の話に関し、ジェンダー主義者はずっとデマだと言うようになりました。不当糾弾も常にやってきます。でも私の発言は常に証拠があるんですね。なので皆さん、どうか私の言うことを信じてください。

そもそもこの本の根拠になっているのは海外ニュースが主で、事実の連続です。中にはＢＢＣ、ガーディアンのもあるし、たとえ極右メディアでもいつもの書き手とは違うタイプの報告、また外国滞在中

（現時点）のバトラー研究家、オックスフォード大准教授のレポート、さらにはジェンダー主義政権下にある州や国家＝カナダ、カリフォルニア、スコットランド等の、現地に長年滞在する方々の声なのです。なので海外のジェンダー事件簿ひとつにしても、例えば――米国で起こり「極右のでっちあげ」と言われた加州、女湯侵入／刃傷騒乱事件が、いかにして「極右のでっちあげ」に仕立て上げられたかを告発出来るんですね。現地の主婦たちの証明連続写真まで私は持っています。なるほど、――私は外国など行った事もなく、グーグル訳でしか記事を読めませんが、しかし、海外の団体は一度投稿でもすればその後は一律にメールが来るし、活動報告やご招待（海外なので行けません）も来て、翻訳で見られます。その上でさらに外国語にも法律にも堪能な専門家集団の校閲（無償）を何重にも受けて、今ここにこのムックを刊行するのです。

だって、不当じゃないですか？　このジェンダー事件簿、例えば女性だけのコンサートを望み運動しただけで、レズビアンのカップルは養子さんまでも、同居の一家が皆殺しにされたんです。これ、日本に上陸したらどうしますか？　女湯崩壊ばかりか未成年の医療虐待も来るはずなんですが。は？　話題唐突過ぎ？　でも、来たらすぐですよ？　ジェンダーは別に女の味方ではないですから。そんな事ちょっと考えれば判るでしょう？　え、証拠？　まず基本から。

現在、日本でやたらジェンダー、ジェンダー言っているフェミニストの大半は女の敵なんです。ともかくフェミニスト＝女権家と思ってはいけません。それは前世紀で終わった定義、あれらは既に女権家ではなく、ジェンダー権（＝女を消す大敵）商人です。というと？　――現在日本で表舞台にいるフェミニスト達は、分類するとリベラル、とかクイアとかの接頭語付きで、既に、というか最初から一般市民の思うような原則論的ウーマンリブ＝ラディカルフェミニズムとは違うものなんです。これおそらくフェミニズムという言葉が入ってきた頃から始まった偽物へのすりかえなんでしょうね。マスコミが支えてなんぼのこのリベラル、クイア側はそもそも未成年売春、代理母産業、暴力ＡＶ、男性への子宮移植、子供への変態セックス教育、時には痴漢、まで肯定する「フェミニズム」なわけです。私は纏足フェミニズム、イカフェミ、ヤリフェミとも呼んでいますが屁理屈が商売の女衒フェミです。「自由」や「多様性」も欺瞞、隠蔽のための言葉に変え、その上でマスコミに出たり世界企業と提携し、言葉をねじ曲げ、資料を偽り、人食いジェンダーに女を食わせる。対するラディフェミ＝原則派はと言えば一般市民が主体、発言出来る機会もツイッターくらいです。中には新聞等で対談できている人も稀にいますが、そういう人がまともに声をあげればたちまち、ネットで叩かれるか表舞台から消えてしまいます。なお、……。

　私は日本には稀な、ラディカルフェミニズムの代替品として読まれることもある作家ですが、基本、文学者ですので、そのままラディフェミとは言い難いのです。彼女らとは連帯していない点も多いと思います。何よりも文学のままでいたいですので、フェミニズムであれ、なんであれ、思想の家来にはされたくありません。読者も実は男の方が多いはずです。でも、昔から東大系、リベラル、クイア系フェミニストとまずかった事は確かですね。例？　あれは評判倒れだ叩け、と超大物が「批評空間」で号令かけた事、一生忘れません。もう偉ければ偉いほどね、……。

まず、「未成年の売春に一理あり」とか世紀末に言っていた東大名誉教授上野千鶴子氏、今やまさにジェンダー擁護ですね、次、現職の東大教授、ジェンダー主義者の清水晶子氏は「フェミニズムは女が世の中をよくするためのもの（要約）」と新書に書きました。これが現状、以下同文です。フェミニズムとは既に、……。

女を幸福にするための思想＝女権＝リブ＝野良フェミ＝ラディフェミではないんですね。それどころか女が「みんな＝男」のために働き、今まで持っていた権利も全部差し出す、新世紀女郎奉公＝リベフェミ、クイフェミ＝飼いフェミ（これはある正直なレズビアンの造語）に化けたんです。この飼いフェミ達にとっては例えば、――旧式な野良フェミが擁護する、女性の生存権とかどうでもいいんです。このマスコミのフェミニズムはジェンダー＝女体を削る凶器、一色ですので、……。

もしも女の受ける暴力、被害、男女格差についてこの飼いフェミ側が、何か意味ありげな事を言っていたらそれは野良フェミのパクリ、発言の機会を奪っておいていいかっこだけしながら、日本の一般女性を罠にかけようとしているだけと心得てください。中にはジェンダー商人の癖にラディフェミを名乗るなりすましまでいます。今、ジェンダーという言葉自体罠だったかもと私は思ったりしています。

2　てことで？　これ、昔は誰も知らないフェミニズムヲタク用語でした

そして説明するのも割りと簡単でした。「ジェンダー」とは、一言で言えば？　――男が女に押しつけた不当な役割で、その根本に男女の身体格差がある女性差別です。というと？　――ひとつは肉体的な格差と関係ない損な立場を「女は、……」と男側が洗脳で押しつけていたケース、もうひとつは肉体的優位の上にあぐらをかいた男が、家事、介護、無償労働等、男のしたくない用を力尽くで女にさせていたケース。その上で男はその肉体的優位にものを言わせ、大半良い役割を占領してました。どっちにしろ殴れば勝てるから出来た事ですよ。例？

「女はバクバク食うな」「女は選挙行くな」、「女は大学行くな」、「猿と女には運転させるな」、「女は男より早く起きて遅く寝ろ」、「落ちている毛は全部女の毛、拾うのが女の役（便所の床のは特に）」、「女は医者にするな、試験で足切りしとけ（これは今でもかい？）」。

なお、ジェンダーというこの一語、私自身はずっと使いませんでした。理由は日本語で用が足りていたから。でも昔（二〇〇三年）この名を冠した賞（センス・オブ・ジェンダー大賞、賞金なし）は受けています。その受賞作『水晶内制度』は男と女の役割、立場を入れ換えた女人国の話です。無論、肉体

は男女で違うのでまったくの逆世界にはなりようもなく、これはジェンダーを批判した内容なんですね。現在ならGC（＝ジェンダークリティカル、反ジェンダー）と呼ぶべきもの。そういう風潮での受賞でした。でも、……。

新世紀二十年、先述のように、今この反ジェンダーは御禁制なんです。議論、批判、質問も禁止、反差別最強のタブーになっています。するとジェンダーは守るべき規範なんですかね？　女に押しつけられた性役割を守る？　その理由は？　ね、判らんでしょ？

ともかくこれなかなか見抜けないけど危険だろう・表現の自由で告発しようよ・文芸誌なら自由に書けるはず、と私はやってみた。すると、あれれ、書けない！　しかもふと気が付くと、仕事は消え、没続き、貧乏になっていました。そう、ジェンダー批判の祟りなんですね。

カード、質屋、友人に借金して生き延びる私、その上私の存在それ自体ばかりか、顔出し、発言、飼い猫まですべて、過去作品までもが「このヘイター（＝憎悪煽動者、ナチスっぽい何か）め！　消えてしまえ！」と、本当に消されようとしていました。現在もなお、私の全身、全歴史、全連絡先が、私を励ますツイートやそのいいねやリツイートまでが、さらにはそうしたという人のアカウントそのものまで、「それ言ったらいかんやつ」認定です（＝キャンセルカルチャーの一例）。その一方、……。

世間はジェンダーが変異した事も何も知らない。でもね、これは既に変異株ウィルスなんです。どこかに少しでも付けば全身モンスター化、そのまま使い続けたら大変。またそれを良いことにジェンダーを含んだ（感染してのっとられた）言葉が世に憚り、今では法律をも侵襲しようとまでしているんですね。ええ、無防備に一語入ったらもう、憲法から条例までひどい事になるんです（＝ジェンダー新法）。その上欧米では性別＝セックスという言葉が恥ずかしいといって、しばしばジェンダーと言い換えをしていた時期があって、それで一層混乱したのですね。そして現在、今の日本語訳や説明では追いつかない事態が発生しているわけです。ところが新聞は古い訳のまま、――例えば共同通信のある記事にも「ジェンダー（社会的性差）平等」と書いてあるだけです。それを見て今の意味を知っているごく少数の女達だけが戦慄しています。そして少しは気配を察したネット外の人々も最近不穏とは思うようです。は？　社会的性差を平等にだって？　「一見今までと変わらない」？　でも実は以前とは大違いなんですよ？　すいません今からもっと難解になります。相手がいろいろインチキしているんで。

だってジェンダーだけの訳なら社会的性差だけどその下に平等ってふいについている。すると社会的性差だけを是正するという事なの？　ね、この言葉、それまで「男女平等」があった場所を占領し、男女が消され、ジェンダーにすり替えられている。これは一体どういう意味なのか？　実は、……。

肉体の男女平等を一切実現しないという意味なんですね。身体格差をない事に、性器をゼロにカウントしますって事。「女性差別が嫌だって？　だったら男になればいいだろう」、「なれるとも簡単に、自分のジェンダーを変えればいいんだから、だって性器なんてないんだから」。

えっ、だってさすがに男は子供生めないでしょ？

「ぷっ、何を馬鹿な事言っているんだ、肉体はゼロ、不可能はない」、……。

難解すぎますね？　では、……。

「私の体＝女です」と「私のジェンダー＝女です」これ、どう違いますか？

そもそもジェンダーが女だと女なんですか？　ジェンダーが肉体の性別を決めるのかな？　社会的性役割が女だと女？　スカートはくと生理になるんですか？　既に、ここで女の定義がもう変じゃないですか？　「ジェンダーを女」にすると女になれる？　するとジェンダーは魔法ですか？　女に押しつけられるだけだった性役割ジェンダー、それがなぜかここに来て急に自分で選ぶものに変わっている。ある日突然「俺は女だ」と暴力亭主、でも名乗るだけで、家事も介護も便所掃除も引き受けてはくれない。ただ「自分は女の役をするから」って言って女湯に入ろうとし、勝手にドレス着て化粧くらいするけど、それもしばしば、丸坊主のまま。

でもそれでもたちまち、「女なんです」。丸坊主の暴力亭主で顎髭が生えていて、女の尻をおいかけまわす男だったとしても女湯に入る。ああ、あの強くて美しいカルーセル麻紀さんのすごい努力はどこへ行ったんだ！　そう、今や、海外、……。

ジェンダーと唱えるだけで「性別」を変えられる。自己申告でころころ変えられます。そういう国ではいちいち「私のジェンダーは女ですが私の体には陰茎が付いています」などと言いません。本人が自分は女と言うのならそれ信じとけ、そういう国なんです。ノルウェーはその代表で当然手術なしの陰茎付き女性がいる、横文字で言うと？　ウーマンウィズペニス。すいません難解で（泣）今判らなくてもどうかそのまま読みつづけてください。その他にもあるこの陰茎の横文字名は、ガールディック、またはレディーディックですね（泣）。このような制度をセルフＩＤ制といいます（泣）。大変、困難な言葉です。でも覚えましょう。

ほら、セルフＩＤ制、セルフＩＤ制、セルフＩＤ制、さあ覚えましたか？　なお、このように安易なジェンダーで「女になれる」理由は既に法律を変えてあるからです。最初期にやった国では国民の知らぬ間にやってのけました。え、そんな事可能なの？　方法は？

新法の中にこのジェンダーウィルスの変異株を仕込むんです。同性婚や人気の新法の端へあるいは後へちょっとジェンダー保護（無敵）と書くとトロイの木馬、毒饅頭になる。その上でヘイトスピーチ規制の法律にジェンダーを保護すると書けば告発も報道も不可能になる。そんな感染国が世界に二十数カ国、「悪法が市民に嘘の性別を押しつける」わけです。

日本でも一昨年六月、危ないところでした。

まあ国会上程さえいかなかったけど、危機を食い止めた女たちがいたんです。勇気はあるがなんの権力もない、それでも地球レベルの悪、変異株ジェンダーと戦って勝った人たちです。ほら、左翼は戦争法制を止められなかった。しかしこの女戦士たちは権力のど真ん中に突っ込んでいって、窮鳥懐に入らば？　野党にあざ笑われても保守に請願、日本の危機を伝え、ジェンダー新法を止めたんです（12に後述）。

私は人から聞いて確認、「日本文藝家協会ニュース」にそれを書きました。その一年後産経新聞で反ジェンダーの有名弁護士滝本太郎さんがこの件に言及していました。

今では報道も少しずつ光が射してはきたが、でも日本の夜明けは何時？　敵は巨大過ぎる。

3　ジェンダー＝「自己表明性別＝言うだけ口だけ性別」と訳して新訳に出来る？

私の専門は日本語だし、英語は苦手です。でもね、体の性別が人間にはある。それと別に、肉体と分離して社会的か何か知らないけど自分の性別を勝手に表明する時代になっている。そうするとこのジェンダーも新訳を追加するしかない。だって「強者が弱者に押しつける嫌な役割」とか「社会的性差」だけだと今の世界趨勢、何が起こっているかが理解も説明も出来ないから。

既にジェンダーアイデンティティーという言葉があるのですが、これの訳は性自認、または性同一性、前者は「心に性別がある」という前提で出て来た新訳です。後者は古い訳なので既に現行法の中で機能して二十年、但しこれは余程の特例に対してでないと肉体外の性別を許さないという、制限付き法律です。その名はGID特例法、ジェンダーアイデンティティーディスオーダー、ほらここにジェンダーと入っている。え？　だったら前例があるんじゃないかだって？　いいえ、いいえ。これは毒を以て毒を制す。今の性自認とは違う。この訳は性同一性という既に法的なしばりの掛かった旧訳でさらに特例、障害、と囲いする事でこの劇薬の使い方を制限した法です。本当にそれを必要とする人のための現行法です。

さて、このＧＩＤ特例法、ジェンダーをもって、ジェンダーを制する法、厳しい条件で戸籍の性別変更を可能にしたいわば対ジェンダー防衛法ですね。手術要件がその本質であり、身体、寿命に強いリスクがあるがそれでも体を変えるという人（後述）のための立法です。

なのでそこへ手術要件撤廃を言ってくるのは本末転倒、というか言語道断。世の中全体を危険にさらさぬように、なおかつ少数者が生き延びられるように設けた、いわば特例の心臓である手術要件、それを無くすなんて社会の混乱を生むだけの約束破りでしょう？　そもそも事実を書くに決まっているはずの戸籍に、医学、科学、近代に背いて、けして真実ではない記述をするんです。違う性別を生きたい人のための究極の手段ですよ。これの自由化とはまさに人類を脅かすネオリベラリズム規制緩和の発想ですね。しかしこの手術、話を聞くだけでハードです。でもやはり必要な人には必要なんですね。

元々は？　――ＧＩＤジェンダーアイデンティティーディスオーダー、性同一性障害と訳されているので、特別な病気に対する対応だと判りますね。

これ自体まだ解明されていない難病の可能性があるのではないかなどと、難病の私はつい思ってしまいます。但し現在、この障害を含む言葉は既に、性別不合と変わってしまい、病気、障害ではない可能性があるとしてしまったのです。それはアメリカの保健機構のひとつがこれを精神障害ではないとの判断を確定したためで、その裏には、精神障害と呼ぶと差別されるからという配慮があり、なおかつ、世界全体の決定ではないという事です。また、こういう大国の機関が巨大医療複合体の影響をうける事は当然考えられるわけで、障害から個性へ、と言われてもそのまま受け止めていいかどうか、それこそ難解です。

だってすごく苦しい事が本当に個性だろうか、私は自分が膠原病でもあり、なおかつ性別違和に悩んだ事がある。そのせいで、これは別に精神障害ではなく、まだ原因の判っていない神経系や免疫の病ではないかと気になるんです。私が自分の性別を嫌で死にたかった時、同時に膠原病も悪化していました。でも病名が付き、ステロイドの服用が始まって以来全身の炎症が引いて、肉体の自己嫌悪感が軽減しました。或いはこの炎症、思春期の性別違和にも影響あったのではと、思ったくらいで、……。

GID特例法は長年に亘る強い苦悶があって、自分から希望して手術した人々の、手術で変わった新しい体のために、現実にトイレ、生活実態等で心身共に困る人々のために、与野党合同で二〇〇四年、特例者のためにだけ施行されたものです。

草案、民主党山花郁夫氏というのは当事者神名龍子氏（主著、『トランスジェンダーの原理　社会と共に「自分」を生きるために』）のツイートで知りました、またことに熱心に推進したのはあの「山あり谷ありえり子あり」元民主党今自民保守の女性議員。

この法の成立を新聞で見た私は同年『水晶内制度』を本にする時、「性転換手術者」の女人国入国資格について加筆しました。作中では手術の他に厳しい条件がある事を暗示するに止めたけれど、そんな私が現在、この法案の厳格化と存続を主張している事を思うとちょっと複雑です。

当時この性転換手術は外国でしか出来なくなっていました。これ実際は日本でもまだ可能だったのですが、七〇年代に検察が動いた「ブルーボーイ事件」があって以後、医者が自主規制してしまったのですね。古い関係者に言わせると（電話取材ですが）「日本は長いこと国内で手術出来なくなっていた」となっています（実感ですかね）。やむなく海外へ出て、「一生に十五回手術をした人もいる」、「海外から帰ってこなかった人も数人いる（失敗して死んだのではと言われるが確かめようがないそうだ）」という話でした。しかしこの特例法により、それが可能になったと（戸籍変更も）。ただし今でも海外の方が安いという事でタイ等でする人がいるという事です。

この件で自民党が動いたのを感謝して、今でも保守に投票するという当事者が多いとも聞いています。でもその一方、この制度のお世話になって手術して戸籍変更をした人でも、よだかれん氏、上川あや氏などはなぜか今手術要件撤廃派ですね。自分の人生上の決断を全否定しているのか、後進にはしない方が良いとすすめるつもりなのか、そもそも、当時の恩人を批判してやまない人物もいる程でこれが本当にブレないはずの左翼の発言かと不可解でした。

同時に同性愛でも性転換手術者でも実際に調べてみると、保守的というか右の人が目立つので私は驚きました。思えば結婚というのは保守的なものでクイア（後述）とは真逆、「好きな相手と結婚出来なくては辛いだろう」という共感もやはり保守的な一般市民からしか得ることが出来ないのかもしれませんね。

さて、この法律における「ジェンダー」という一語の扱いです。当時の国会議論ではジェンダーアイデンティティーを「自己の性別認識」と捉えていて、別にクイアが言うような「性別などない」というものではないし、一人（＝自己）の主観（＝認識）に一定の条件で客観的縛り（厳しい手術等）をかける事で、希少な特例者の生活上の困難に応えようという肉体重視のものとなっています。特例者候補の数は当時で女性十万人に三人、男性十万人に十人と少なく、それで社会を混乱させる程ではありません。しかし、無論、この手術要件を撤廃してしまったら大変な事になるのです（後述）というと？　「私の体は男だが心は女、本当は女なの」。言うだけは言えますが、近代以後の人間にならそれでおしまい。理解を得るとしたら個人的交流や文学の中だけ、心の性別は私が私小説の中で我が事として書いてきたテーマですが、言葉の魔法を現実と思うまいという戒めと共に、女体に課せられる女性差別を正視する作業でした。一方、……。

言うだけ口だけ、現況の差別から顔を背け、自己申告の性別を他人に押しつける根拠、これがジェンダーです。そこでまた海外の法律を見ると？　先述のジェンダー保護要件がですねえ。「自己申告の性別が女なら女性待遇にする」。さて、女湯の前です。「自分は女だと言った男は入れますか」。肉体の人権よりジェンダー優先、肉体より偉い、言うだけ口だけ権です。ええまだまだ判らなくってもいいんです。手術要件がなくしてある場合？　そして残っていても訴訟にされる可能性がある場合？　実例をみたら疑問氷解です（後述）。

さて一方、このジェンダー・ジェンダー平等に対する男女平等はというと、これはまだしも判りやすいかな？　あ、でもここひとつ大事なところ説明します。

意味はまず、「男と女を平等に扱え」ですね。でも実はこっちも、案外に難しいですね？　例えば、……。

一時男女平等パンチという言葉が流行りました。男を女が殴る、それもネットの画像などで「幼女妊娠（万が一ですかね？）」した幼女をオタクが殴る時にそう言っていたという記憶があります。或いはこの男は男の力で殴れば幼女に勝てるし流産もさせられると計算して、この勝てるに決まっている幼女妊婦に「男女平等で」勝ったつもりなのか？　でも基本、それは男女平等についての男はんの勘違いですね。で、見出し4が正解です。

4 殴れば勝てる相手でも殴らず対等に話し合おう、肉体格差の是正も男女平等です

ほら、同じところに立つのが平等なんですよ。その上この男女平等という言葉の長所、まさに誰と誰が対立しているのかはっきりと分かるという点なんですね。ジェンダー平等とはえらい違いです。え、国連がジェンダーイクオリティ＝男女平等と同じ意味だと言った？　しかし国連は「男が女だと言えば女として扱え」のジェンダー国連ですよ？

ジェンダー平等＝ジェンダー国連、私に言わせれば弱肉強食国連、それも女肉男食の世界組織です。さて、でも男女平等とあればそれは男対女、階級闘争に近いものがあるんですね。

え？　いやっ？　私別に男、悪く言ってないですよ、これでいきなりむかつくなら「男は絶対正義」って思っている方が傲慢。時に折衝するしかないという事、体の違いが運命的な権力関係を産出しますからね。肉体格差故、言葉もなかなか通じていないからね。昔のいわれなき身分差別だって、貧乏や歴史などの基礎構造があり、それに対策していく事が差別の解消と考えられていた。女性差別ならまず身体正視から、性差という原点、根拠を忘れてはなりません。なのに、――今海外のジェンダー国、ジェ

ンダーイデオロギーに支配された国ではこの性差＝肉体と現実を研究する事も「ヘイトクライム」になっています。

　そう、ジェンダー平等のジェンダーという言葉は、この男女を隠し、性差を隠すためにあるんですね。その結果何が消されたか？　それは女体という不利、不遇。どうあっても無視出来ない不利な身体。そして性差とは？　それは差別の発生する根源、当然研究対象となるべきものなんです。なのに禁止とはね。例えて言えば、福祉政策を語るときに貧富の差を研究させないのと同じ事です。これがジェンダーの欺瞞、隠蔽です。なのに、……。

　ジェンダー平等は弱肉強食、女肉男食、そう書いた私の文は「ヘイターのデマ」にされる。でもその一方で日本は？　今そんな国法はないというのにもうこのジェンダー平等は実行されている。外国かぶれのインテリたちが庶民に押しつけているんですね。ただ連中は本当に判っているのだろうか？　例えば海外の条文を言語チェックしているのか？　ジェンダー保護要件、私は英語で該当部分をなんとか読みました。しかしよくよく見ないとその、不条理さ、或いは不可解さは判りません。でもその実現を見ると？

　今日本では既に一部電鉄車輌から、女子専用のトイレが消えています。(注1)乗り物の中のトイレ、結構危険です。露出狂だけでなく引きずりこみに来ますよ？　これ国法なきまま「言うだけ口だけの性別」を保護した結果です。

　なお、公的な女子トイレ全体について、今でさえ、盗撮、使用済みナプキンを食う人、売る人、ネットで晒す人、トイレの音を聞く臭気を嗅ぎにくる、女子トイレへ入るだけで興奮する、射精が増進する侵入者がいるのです（知った私にトラウマが残る程にひどい画像が……）。

さて、女の人よ！　このようにして（女子トイレをなくして）社会があなたの肉体を全否定したという事について、またこの安全な領土が奪われた事についてどう思いますか？

え、トイレが領土かって？　命綱でしょう！　共同トイレで小さい女の子が殺された後、女子トイレが出来た事もあるんですね。七〇年代の新婦人の会は女子トイレを作ろうと運動していました。え？「私のジェンダーは女なのにジェンダー外のトイレに入ると死ぬほど辛い」ですか？　でも「女子トイレが消えれば女の肉体は実際に犯され、殺され、殴られる」。なお、「ここ女子トイレです」と教えて殴られたのは北原みのりさんです（大抵の女の人は身体格差故の危険を察知して逃げるわけですが）。

結論？　ジェンダーは目くらまし。馬鹿インテリが何をぬかそうが、女子トイレは必要だ！　企業はお高い講習でせっせと習い、得意になってこの流行の反差別を覚え、その結果女という表示も肉体も、すべて消しに来る。女消《メケシ》（後述）、これがアイデンティティーポリティクスの帰結ですね。そしてそれさえやっていれば資本家は身体格差も貧富格差も無視して良いという免罪符なんです。肉体を内面と分離して奴隷化する事は搾取側の悲願です。生命身体を契約書の自由意志に従わせる事もそう。なので今回ばかりは、相手の言い分をいちいち聞く必要はありません。ただどんなに矛盾しているか、適用すればひどい事が起こるか、その事だけこれを読んで、理解は困難でも拡散して下さい。え、相手を無視するのは悪いって？　いえいえ、相手は最初から議論しない（＝ノーディベート＝聞く耳持たぬ）宣言、ばれたら困るからこそ何か議論すると「ヘイトスピーチ」なんです。

なおかつ、ジェンダー一色で凄い事になっている某県なんて、自治体のイベントで挨拶したジェンダー活動家が「ジェンダーって何か判らない（要約）」と発言しています。

こんなの反差別でもなんでもないんですよ、これそもそも、……。

（注1）などと書いていた校了直前、——渋谷区を皮切りに二十三区の女性専用トイレが次々と消えていた事を区の議員達が告発（私の観察よりはるかに広範囲）。あるツイートは二千九百万表示にも上り、ネット内とは言え、全国の人々も知るところとなった（驚）。

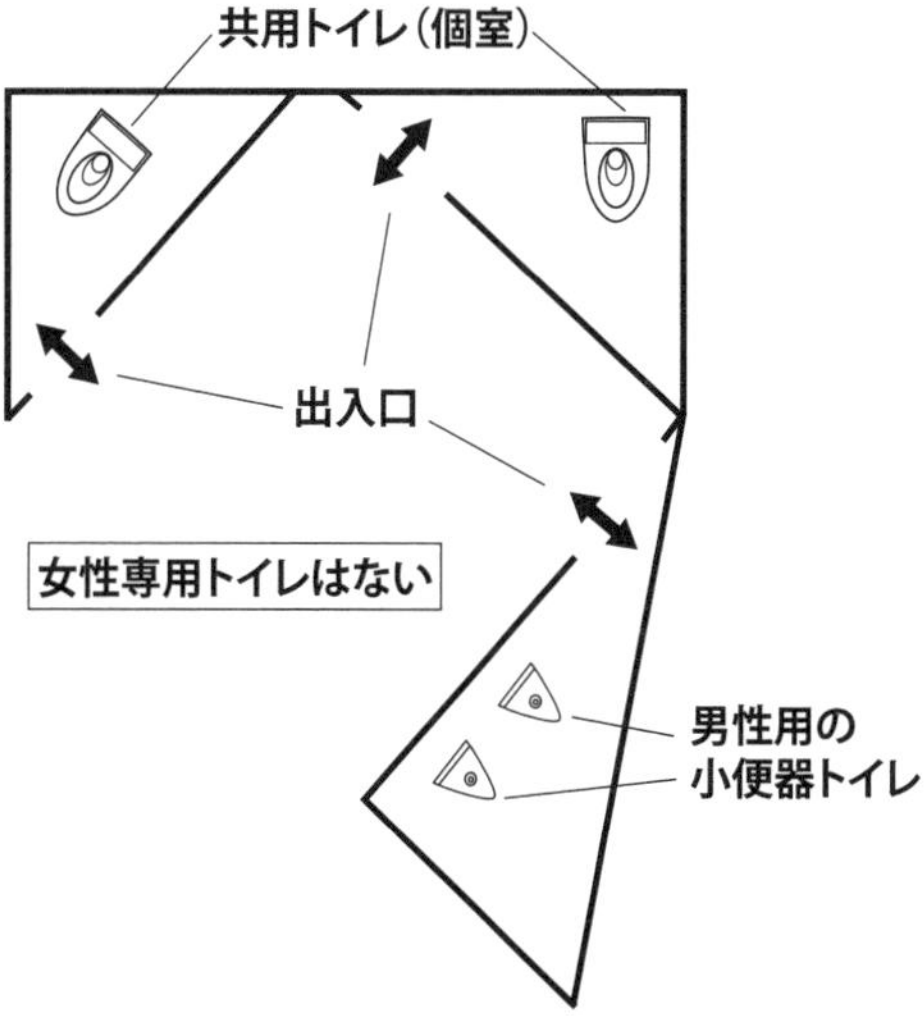

東京・渋谷区幡ヶ谷の公衆トイレの施設配置
（渋谷区のホームページより）

5 インチキポストモダンのクイアフェミニストで、世界的なジェンダー学権威のジュディス・バトラーが言い出しっぺなんですね

ジュディス・バトラー、ジェンダーの提唱者、ハイデガー程難解、この人昔フーコーの弟子だったはずですが、最新インタビューを見ても既にはっきりものを言わない陰謀論者です。私はソーカル後のクリステヴァを連想しましたね。え、「バトラーはそんな極端な事言っていない」だって？　いや、あの人もう自分に性別はないと宣言していますよ、いわゆる例のノンバイナリーですよ？　男でも女でもないジェンダーの一種、なお男女が表明でころころ変わるのはジェンダーフルイド、ついでに覚えましょう。要はバトラー本人が変異株に食われたんです。ナチス協力者ハイデガーと同じパターンだ。え？「そうじゃなく、ともかく、もっとバトラーを勉強しろ」だって？　ほほー君そこまでバトラーに詳しいのw　じゃあ日本のバトラー研究の第一人者誰か知っている？

千田有紀氏、当代随一のバトラー読み、紹介者、第一人者です。最近は専門家として批判してもいます。大学教授で、日本フェミニストの最大有力組織、ＷＡＮ（代表上野千鶴子氏）の理事でもある、が

……。

この、バトラー関連唯一の人材が、只今の「バトラー＝ジェンダーブーム」において、ジェンダー関連のエッセイや論文を書くたびに学会のメンバーから批判というより単なる罵倒や中傷をされ、講演、出演の仕事まで少なくなっています。要するにジェンダーをもっともよく知っている専門家が、学問を踏まえた批判をしているだけなのに、それをまるで考慮せずにただ差別的だと言って叩いているのです。そして叩いているのは学者のごく一部、なのにWANも学会もこれを助けない。千田氏は本場の取材もかねて、（現時点）海外で生活しています。

某文芸雑誌でバトラー紹介をする時なども、なぜか千田氏ではなく、英語が御専門の、清水晶子教授が担当しています。ねえ、「バトラーを読め」って言うジェンダー主義者達は、読んで日本一判っている千田氏には結局こういう事をするんですよ？　ていうか黙らせようとするだけなら読んでも無駄でしょうよ？

WANではこの他にサイトユーザーの石上卯乃という人物がこのジェンダー主義に批判を述べました。が、ここはこの時、一旦記事を掲載したものの内容を隠そうとしたり、ヘイトスピーチだ削除しろと会の内からも攻撃しました。でもこの記事はWAN中でダントツに読まれ（六万人がアクセス）、珍しく反論を出していたTRA達は自分達の記事を全部余所に移してしまいました（キャンセルしたのでしょうね？）。

なお、学術は東大（美学）でも慶応（出版）でも誰かジェンダーに歯向かうものがいると、ひとりを取り囲んで、ＴＲＡ学者達が糾弾するだけ、ここもノーディベートです。

文壇も主要文芸誌は錆びついたマンホールの蓋のようになっています。「読んでないけど差別的」と言ったような発言をする新人が重用され、私はヘイト呼ばわりされ弁解もさせて貰えません。反論記事も没にされました。女子刑務所に男（含連続強姦犯、連続女性殺人犯、自分のジェンダーは女だと言って、認められたら入れます）を入れるなと書いた等の理由で断られました。

ただ例外として私の属している日本文藝家協会、これは文壇中央と違って互助会なので「ノンポリ」です。理事の中には平気でターフに賛同する人もいます。私は一番濃いエッセイをここの会員用月報に書かせて貰いました。中にはネットで私のエッセイを出した「協会に責任を取らせろ」と言う人もいて、こっちも首を洗って待っていたけど、結局今まで通り、評議員（偉くない名誉職）にも重任されました。

結論ですか？　このようなジェンダー主義者のＴＲＡ（後述）から知性や読書量を問われる必要はありません。彼らの要求は全部無視されてしかるべきものですね。

6　あほもかしこも反ジェンダーになあれ、女に生まれた、汝自身を知れ！

最新作『笙野頼子発禁小説集』にも私はただ、事実を書いただけです。TRA（後述）からは「ヘイトスピーチだ、書店は平積みするな」と言われたけど。しかも読者がネットでそう言った相手にその理由を問うと「理由を聞くのもヘイトだから、お前もヘイター」と言われているけれど。その上さらに「だからどの部分の何があかんのか」と、別の元気な読者が聞くと「お前はナチスか虐殺が好きか、さあ差別やめろ黙れ」って、要は？　結論――「おれらが差別認定したら、それは差別なんだ、質問、議論、聞き返し、やったらいかん」と言う事でした。まあでも想定内ですね。ここ四年間これぱっかりでしたし。

結果？　書店はひるまず読者は駆けつけ、ジュンク堂池袋本店七位、王様のブランチに映り、一週間で増刷。この本少しだけど新聞雑誌に出して貰えて、報道の契機にはなりましたね。

要するに私は仲間やそういうネットの読者達と共に、ここ四年このジェンダー主義者たちから「殴れ殺せ犯せ」と言われ続け「人権のない属性、人間ではない」と認定されてきました（どっちがナチスやねん）。なお、私ども（＝私と仲間）「人権がなく人間でない」とやらの、この属性の名前を彼らはターフ（後述）＝ＴＥＲＦ、と蔑称しています。何の略かとかは後で言います。ターフは差別者なので人間に数えないし、どんな目にあわせてもいいそうです。で？

ツイッターで英語の検索をするとKILL, PUNCH, RAPE TERF, FUCK（このバカヤロー＋強姦しろ）TERF等出てしまいます。この「殴れ殺せ犯せ」と言ってる人々がジェンダー主義者でして、中でも活動する人々をＴＲＡといいます。但し、日本の彼らは自分たちをＴＲＡと呼ばず、そんなものはいないと言ってきます。でもね、……。

海外のニュースにはそのままＴＲＡ、と出ます。自称もしていますよ？　ついで、このジェンダー主義＝ジェンダーイデオロギーの別の呼び名をトランスジェンダリズム、日本語で性自認至上主義とも言います。と？　例のＴＲＡはまたしても「そんな言葉はない」と言うわけで、まあ自分達を特定する言葉はないと言い続けていますが、実は……。『トランスジェンダリズム宣言』という本が昔出ていて、これ、ジェンダーイデオロギーの主張がある本です。なんでもかんでも隠すＴＲＡ、ていうか隠してなんぼのＴＲＡです。

そもそも「○○は差別したぞ」と不当糾弾に来る時も「どこが差別か」、「被害者の定義」、「５Ｗ１Ｈ」等ＴＲＡ達はまず言いません。いわないでいきなり「ヘイター○○は虐殺した」って来る。でも、いつ、どこで誰を？　このジェンダーと付いた特番がテレビに流れる時も雰囲気アピールだけでリアルは見せない。見た人々は無論それが何か判りませんから「何か大切にしてあげないと可哀相な人？」ってふわっと感じるだけ。でも少し冷静になれば矛盾が見えるし、実態が判ればどの国でも民意は離れます。なのでTRAは謎を残しておき、海外そっくりのロビー活動でありとあらゆるところに食い込みます。自民グローバルから新社会党、地方自治体、教育委員会、NPO、どこも若手の目立つ人物が引っ掛かり、信用ある組織から崩れて行きます。

そうそう、TRAは本当の名前で呼ばれると何かがばれるんですね。だから自分達を特定させまいとするのですね。さて、ターフの方はというと？

ターフはそもそも蔑称だし、その名の元に加害されますから呼ばれるのを怖がる人もいます。なので例えば、他称ターフ、と言ったり、その一方で、敢えてそう名乗る人もいます。私は今回、ターフ・TERFで行きます。

でも、ターフ文学かどうかはともかくとして新作にも、私は「古典的で常識的な事」しか書いてません。実際ただの老婆ですし、普通の女が従来思う事、これからも思わないと身体弱者の命が危険になるような事から目を背けず、ひたすら書き続けてゆくだけなんで。それが反ジェンダーなんで。とはいうものの、……。

いきなり「ジェンダーガー」で始めて、ろくな説明もなく申し訳ありません。でもほら反ジェンダーは、説明不要な程簡単な認識、以下のとおりの繰り返しですよ？　ちょっとやってみますね。

では、まず、――「男は女湯に入るな」、「男は女子トイレに入るな」。

次、――「男は女子シェルター、女子病棟、女子採尿室を使うな」、そして？

「男はオリンピックの女子スポーツに出るな」、「男は婦人議員枠で立候補するな」、さらに「男は妊娠等で不利になるが故にわざわざ設けてある専門職女子枠を奪って就職するな」、さて、ここまでで、あなたはジェンダー主義者ですか、反ジェンダーのターフですか？　もう少しこのまま続けますね……。

「男は婦人科に来て、あたくしは生理がないんですなどという相談をして、医者に拒否られたらそれを差別だと言うな」、「男への子宮移植を要求するな」、「男は国勢調査とか健康保険証、病院のカルテ、性犯罪の統計における性別欄に、勝手に、自分は女だと書くな（性犯罪の99パーセント以上は男が起こすのだ）」さらに？「自分らだけで同性愛の定義を勝手に変えるな、男は勝手に自分をレズビアンだと言うな、男なのにレズビアンを口説いて断られたら差別だと言うな＝あの人らには断る権利がある、邪魔をするな」、さてきつい一発「これを使えば男から女になれるだのと子供を騙して怖い薬をかけ、生涯の奇形や盲目、病気にしてしまうのをやめろ＝子供の医療虐待をやめろ」。

最後、「女、母、婦人という性別を表す言葉の定義を勝手に変えるな、従来の意味でそのまま使わせろ、母の日という言葉を禁止にしたり、妊婦という言葉を世界的に禁止しようとしたり、WOMAN=ADULT HUMAN FEMALEという定義の上にステッカーを貼ってそれを隠したりするな」、「現実、本来の女に対してまんこ人（すいません柄悪くて）とか、経血漏らしとか、子宮持ちとか失礼な名前で呼ぶな、臓器よばわりは断る」、「間引きされる、性器切除される、異国で強制売春させられる女について展示した博物館などで、展示内容説明に同情をこめた時、そういう身体由来の悲劇に同情し過ぎるのは自分達へのヘイトだとクレームして、妨害するな」、追伸、「男がやった殺人、強姦、痴漢事件を女がやった犯罪というな」、「差別でもないものを差別だというな」。さて、これを纏めると？「男が自分の主観を現実、人権と称し、弱い立場のもの（＝大半は女）に押しつけるな、男なのに女を名乗るな、医学、科学を捨てるな、このままだと憲法も破壊されるぞ、性別を破壊したら男女平等と天皇の継承がどうなるか考えてもみてくれ」。無論、この発言も全部「ヘイトスピーチ」です。という事は？

生物学的性別に基づく権利の主張などは（＝SEX BASED RIGHTS）全部ヘイトですね。身体の性差、医学的真実に由来した区別なのにそれを性別＝差別＝「ヘイト」だと言ってくるのがＴＲＡですから。証拠？

現在、こういう平凡な主張をネットインテリ、一部院卒無職左派、大新聞左派記者、一部左派大学教員に向かって言うとなんと言われるか。「お前極右やな、極右、極右、ほーら極右言われたらお前の負けじゃ」って学術の業界内ルールを振りかざして来ます。さらにはこの貧乏な下層老婆の仕事を干しに来ます。でもジェンダーなんてねえ、……。

二十年前は批判してなんぼの糞英語でした。ところがこれが、海外で化け始め、成り上がった。つまり突然変異して変異株が出来た、結果？

化けたジェンダーは世にはばかり、今、世界二十数カ国の女子供同性愛者性転換手術者手術希望者を苦しめています。ほらこの反ジェンダー発言、もう一回読んでみて、でもこれがヘイトであるという彼らにも一応根拠、ていうか海外から持って来た基準、主張があるわけでして。ていうか今、……。

私が禁じたことのほぼ全部が海外でこのような基準、主張に基づき実際に起こっている事なんですけど、しかも、……。

日本でさえこの発言、表舞台ではまず言えません、国内もまず報道しませんしね。ただね、そう言うと今度はまた。「デマダー、デマダー、キョクウー、キョクウー、ヘイター、ヘイター」と飛んできます。そしていつもの糞横文字を繰り返すよね？　そう、これが彼らの根拠ですわい。

7 GENDER MEANS SEX, AND INCLUDES A PERSON'S GENDER IDENTITY AND GENDER EXPRESSION（翻訳？　不可能です笑）

さて右の横文字を、訳してみます。ジェンダーとはセックス、性別を意味します（つまり、イコール、ですね）。なおかつ、ジェンダー＝自己表明性別（性自認と自己性別表明＝服装とは限らない、それこそ言うだけ口だけ）はジェンダー＝肉体的性別に含まれます、となる。これ循環論ってやつかな、ふーん、……。

え？？？　まあ私は英語弱いですけど、でも、じゃあ一体ジェンダーとセックスはどういう関係なの、最初はイ、い、いコールと言っといて次は含む、と来た？？？　これ、カリフォルニア州法CIVIL CODE 51というのに入っています（まあ入ってなくても、イギリスなどだとロビー活動だけで彼らは公的機関を思いのままにして女性スペース侵入をやってのけますが）。え、判りにくい？　ええ判りにくいですよ（笑）。この一文、実は日本の一流翻訳者と英語が母国語のラディカルフェミニスト学者に読んで貰いました。結果、そう、矛盾あるのみ、でたらめ、意味通ってないそうです。

要するにこのような不条理、カルト的な横文字において、ＴＲＡは私がさっきから、男、男、男、と言っているその男の事を「女である」と言っているつもりなんですね。その根拠とは？　「ジェンダーが性別だから本人がそう信じてそうふるまっているから」。これまさに要するに言うだけで達成される口だけ性別です。口だけで人類の肉体を超えたつもりなんですねえ。これが彼らの反論と「真実」です。

おそらく、この矛盾とでたらめを産み出す土壌の根本にはキリスト教的な世界認識があるんですね。ほら聖書、「光あれ」＝「光ある」、言ったらあるんです。唯一絶対の神が光を創出する。なので、もし偉い誰かが「男は女である」と言ったら、そうなるんですね。唯心論ですね。そんな中もし、「その男はなんで女なの」と聞いたらもう、それは神様に対するヘイトになる。だって神＝強者＝男＝本人が自分は女だって表明している。勝手にでっちあげた女としてのふるまいや表現を「やってみている」から。でも、本当を言うと、「男とは何か」これは従来の事実においても、ターフ反ジェンダー戦線においても民意においても「男の体に生まれたのが男」ですね。ところが、……。

ジェンダー主義、トランスジェンダリズムでは？

「自分は男です」と言ったらそれで男です。だけれどもそう言うと女の体に陰茎が生えてくるでしょうか？　いいえ、生えません、それでも性別はノルウェーなどではメール一本で変えられます（セルフID）。これがジェンダー主義です。さて、東洋人、信じるか？

日本だと、例えば、ペニスは日本の医院で手術すると作るのに二百万円かかるという一例がありますよ？　その他にテストステロンの高い注射などもずーっと打ちます。ただ、気の毒だけどそれでも本物は作れません。精子も出ません。昔の私なら精子が出ると思って、手術したいと思ったかもしれない。

子供の頃、今にペニスが生えると思っていた私ですので。

でもジェンダーイデオロギーだとそんなの必要ない、言うだけ口だけで性別が変わる。＝女を名乗り、自分は女湯に入って当然とする男もいます。彼らはそういう自分の正当性を強調するために、大変な手術をする人を否定します。すると陰茎があるままで女湯に来るんですか？ ていうか手術しないんだったら何も女湯に来なくてもいいでしょう。男が勝手に女ホルかけて胸を膨らましといて男湯入れない？困るの判ってなんで膨らました？ 医者はなんで止めなかったのだろう？

男で手術する人はともかく自分の性器が嫌なんだそうです。なので少しの部分を残してペニスを切り、残ったところを裏返してまず外見だけでもペニスのない女性形に変えます。膣をつくるのは大変だそうです（直腸に穴を開けて傷口を残す）。こういう手術を最後までする人でも「ジェンダーなんか判らない、必要ない」という人がいます。ただ自分の体の性別が嫌で長年に亘り強い苦悶が持続するため、止むなく命を削って行うという事です。生殖腺の除去などは時に命がけです。しかしこれらはしないと死にたくなるとか、生きる甲斐がないのでするという人です。ただ中にはごくまれですが、……。

手術後女湯に入って多くの乳房をみたのが天国だとかそういう発言をしている人もいます。これ、女性を不安にさせると同時に、同じ手術をした方々をも傷付ける「ヘイトスピーチ」に思えます。このような極少数の人のために現行法を厳しくして、なんらかの対策をする事は必要と思えます。でも大半の手術者は社会に適応した穏健な人々です。隠れているし、自分の肉体に羞恥心があるので戸籍を変えても銭湯など避けがちの方が多いということです。医者のガイドラインにも社会に適応するようにと指導されていて、この人たちの大半はおとなしいそうです。なおかつ治療の副作用で弱っている人がしばしばいます。ともかく未成年がろくな助言もなしにする事ではないですよね。でも、それら諸々について、TRAは言及しません。彼らはただ、……。

日本が外国のようになればいいと思っているのです。「先進国並に」ね。そのためにジェンダー独裁法（LGBT差別解消法など後述）を作りたいので、国民には何も教えません。

しかしだからっていくらなんでも『1984』の真理省さながら、「男は女である」と言うだけだとさすがに彼らだって「ばれるな」と思いますよね。なので少しくらいは言い換えをしてみるのです。というと？

「男は女だ」これを、TRA語で「トランス女性は女性である」と言う事が多いです。見た事あるでしょう？　見出しの横文字羅列は知らなくてもこれならネットで見える。トレンドに「トランス女性」という言葉が出る時もある程です。で？

「男」という見慣れた語が「トランス女性」という見知らぬ語に変わっているわけです。このトランスという言葉をジェンダー主義者達は真の弱者にただ乗りして使います。日本での例？「ジェンダー保護をしろ」、「ジェンダーでの差別をやめろ」、という代わりに「トランス差別やめろ」と言ったりします。その実態？　国連定義では、例えばトランスジェンダー（後述）の中に単なる女装、男装しただけの人も含まれます。定義が広すぎて、不毛なカテゴリーとなっています。もし女装を罰する国というのがあるとしても、日本は違います。そんなカテゴリーの一部に手術した、手術したい人たちが入ってます。この人たちは現在ではトランスセクシャルと呼ばれ、少数弱者です。でもその人たちを隠れ蓑にして大半の「トランス」は手術していません。なので今ではアベマ（インターネットＴＶ）の議論などはトランス女性と言ったら陰茎つきという意味で使う人も多く、そもそも手術した、したい人々に反ジェンダーが多くいるのです。

8　トランス女性は女性ではなく男なんです

ＴＲＡは、手術をした人したい人（トランスセクシャル）と、陰茎付き女性を、「トランス」と纏めて世間を欺きます。危険を背負っても体を変えた人々を楯に、隠れ蓑に、利用します。トランス女性という分かりにくい言葉はそのために便利です。極少数で苦しみぬいた手術当事者の困難や個人史を収奪して、それで「自分達は大変だ」とただ乗りしているのです。それが「トランス差別するな」の大半です。

長年の強い苦悶から手術をして社会適応も頑張って、特例法によって戸籍を変える少数者（現在国内一万人、奇しくも私の持っている難病の国内人数と同レベル、希少なんですね）を本人達が嫌がってもこうして併合、利用するＴＲＡは、一方でこの希少手術者達の命綱と言える手術に反対し馬鹿にします。まあ、ジェンダー法は作ったら勝ちなので庶民が驚くことや激怒する事は黙っていてさらにこう言います。

「そんな女湯入るなんてのはターフの流すデマだ、法律が出来ても誰も女湯なんか入らないと言っているのにターフは虐殺が好きなもんだから」、え？　だったらどうして女湯に入れる法律を作るんですか。

作らないと人が死ぬぞっていつものように言わないのですか？　そもそも、それなら、……。

　どうして反代々木系の活動家で、長年京大吉田寮に住んでいた上に、反権力闘争による道交法違反で逮捕歴まである、当時建設作業員風だった男装人物が、ふいにグリーンのワンピに茶髪ロングヘアの女装人物となり、女湯に入れろデモを主催するのでしょうか。その他国内で「陰茎付き女性」を女湯に入れるための署名もありましたね。

　何よりも手術するような人は自分の体の性別が嫌なので手術するのです。手術が嫌ならその人は自分の体の性別が嫌ではないのです。それなら別に陰茎を女湯にわざわざ浸けにくる必要はありません。中には恋人とセックスする時に、体を見られるのが辛いので手術したという人もいます。しかしこれは健康上のリスクは高くガンになる確率も上がる事があります。それでも寿命を削って彼らは体を変える。お金はかかるし、親とまずくなってしまう人もいます。それでも希望してするんです。戸籍変更して別のトイレに入る事が必要なのは本来、そこまで真剣なその人たちなんです。この人たちの正式名称がトランスセクシャル、ほら、ジェンダーって入っていない。それなのに「トランス」でまとめられている。トランスジェンダーの広すぎるカテゴリーに入れられてしまう。そんなトランスセクシャルの中に手術「したいからする」という言い方をする人達がいたり、死を考えるまでにリスクがある彼らなんですけど？

　自分は女だと口で言うだけで女湯に入ろうという人達は体が辛いのではないんでしょう？　自分が女になったと想像して射精するオートガイネフィリア、彼らも欲望で女性ホルモンを打ちます。それで胸が膨れるしハイヒールも履いてみて、ペニスのある自分に興奮して射精するわけです。そうです、ジェンダー主義は女しか入れない場所をすべて射精場にしてしまいたい。でもともかくオートガイでもおとなしい人はおとなしいし、その人らは男が女湯に入るのが人権だなんて言わないんだよ！　タ―フの防波堤になってくれる女装子までいるんですよ！

まあそういうわけで昔は「女に運転させるな」今は「男を女湯に入れろ」、結局変異する前も後も、ジェンダーは男本位の男根権です。どっちの主張もそれが真理だと言い張る根拠はただの妄信です。しかし、女の方は困りますねえ。またそれ以上に、例のジェンダーフェミニストですが、――高名なフェミニストの中には今、女子大学のゼミや合宿を混浴雑魚寝にするのを当然と主張し、そう書いている女性教授もいます。そういう入試をする女子大も既にもうあります。親御さんたちはこれご存じですか？　女権検索で最近のニュースを見てください。さあここで、「何か変」って思う人きっといますよね？　女権が化けて男根権になってゆくその理由、知りたいですねえ、でも無駄ですよ。だって、……。

昔のジェンダーと同じようにこの変異株も男（とその奴隷の女）が女権に押しつけてくるだけのものなのでね。とはいえ、古株の方と違い変異株の方は、何にでもくっついてそれを人権化するという特技があるんです。結果男女平等が女肉男食に化けたわけです。

この謎人権はまずイギリス等で先行し、「それは人権なのだから」、ということで先進国と国連でこれを守っていました。ほら、先述の国連はジェンダーミーンズセックスだったですよね。それで新聞や何かの翻訳が、「男女平等とジェンダー平等は同じものだ」としゃあしゃあと言うわけでして、実に横文字屋の勘違いです。一方、同性愛死刑の国なんかでもホメイニ師が早くに導入しています。つまりゲイカップルのひとりが「私は女」になれば、その関係は異性愛という事になってとりあえず死刑が減りますから（でも無料強制手術をされてしまう場合があるのですね）。そうです、死刑が減る！　このあたり国連にはおそらくひびくものがあったんでしょうねえ。男さえ助かれば女子供はどうなっても（略）。

西欧の親たちは新世紀になっても、まだまだゲイやビアンの子供を違う何かにしておきたい。時には本人達も（キーラ・ベル裁判の原告もかつてはそうでした）、そういう事情ですね？

西洋は日本と違ってゲイ差別の根が深い。海外はゲイをとりかこんで殴る人々が今もいるし七〇年代は同性愛を法律で禁止していました。しかしその七〇年代日本では女装もゲイも、かつてはトランスセクシャルも、例えば美輪明宏、カルーセル麻紀、ピーター（池畑慎之介）など大人気でした。つまり、まるで土壌が違います。

日本、それは江戸時代に僧侶が少年を愛人にしていた国、信長と蘭丸の国。女形、宝塚、異性装もずっともてはやされています。なおかつわが国の仏教文化は肉体重視です。遺骨にこだわる国。肉体を超えるためには即身成仏や解脱などをクリアせねばなりません。

この現実的で具体的、私小説の発展したわが国において、人間の内面とは百人百色、でも性別は二つ。言うだけ口だけの魂の性別なんか西洋かぶれの不条理としか思いません。とはいえ、――日本共産党はゲイを堕落頽廃と決めつけていた時代があるので、今回もまた彼らを否認するための思想に引っ掛かったわけですね（泣）。

だって同性愛者は同性の肉体が好きでしょう？　「魂の性別の表明」で射精するでしょうか？　ゲイでいきなり老婆を、あくまで精神的に好きになる人もいますけれど、その人達こそ女の肉体が枯れた後の女ジェンダー（社会的装飾や、若い女よりも女らしい内面、弱々しさ、あるいはその人個人の人間性や精神性）を愛しているのでしょう？　つまり彼らの肉体は基本ゲイなんでしょう？

息子がゲイだったら困る両親が「この子の心は女」と新世紀に言う国は差別の国ですね。そんな海外のゲイフォビアを差別利権として持ち込むために、やって来たのが変異株でした。「殴れ殺せ犯せ」は彼らＴＲＡにとってのお洒落な舶来物です。新しい憎しみを輸入して、従来のバイ、ゲイ、ビアンを苦しめる事は「名誉ある」学者芸というわけです。すべてが一部「左翼」活動家の猿芝居です。

一方？　本当の当事者達は声が上げにくいのに「女の人可哀相」、「私らが憎まれる」とターフ達と連帯してくれたりもします。ターフの方も大半は（中にはきついのもいるけれど）このＴＲＡ共の正体がばれた後のバックラッシュで、現在連帯してくれている当事者達（女装ゲイやニューハーフ含）が誤解されて憎まれませんようにと今、なんとか止めようとしている面もあるのですね。

9　まあそういうわけで罪深いジェンダーウィルスですよ？

新世紀初頭から先進国なら、北欧、西欧、英米、カナダ、オーストラリア、ニュージーランドあたり、全て信用のあるところがウィルスにやられました。ドイツはメルケルが引退したら始まってしまいました。まあドイツは売春合法国ですので、肉体（特に有色人種の女性の体）の軽視は普通にありますし、売春合法化政策とジェンダー運動は大きい支援資金源が被ってもいますから（後述）。

最近は緑の党からの女性離れも目立ちますね。

スペインはターフが必死でスペイン社会党に食らいついていたのですが、昨年陥落しました。アムネスティはジェンダーを売春の合法化と共に擁護しています。ここは二〇一二年にノルウェーから、三千万ドルの支援を貰っていますね。いや、本当なんですってば。

米国のバイデン閣下はその就任直後、連邦政府の教育省にこう指令しています。――「全ての女子スポーツ、女子トイレ、女子更衣室をジェンダーで使えるように」、ほら、これでこのジェンダー保護という言葉の法的効果判りますね。要するに女子という言葉、主語を消していくのです。女がジェンダーに食われてしまうのです。「女の国を侵略し植民地にしろ」です。でもそれなら「逆もあるだろう」って？　ええこっちもありますね、「女は男である」。でもね、これまったく何の仕返しにもならないですよ。結局「従来の」女が損するだけ。では男女比較です。

え、くどい？　既に判っていらっしゃる、素晴らしい！　でもちょっと確認。

さて、「男は女である＝トランス女性は女性です」側、肉体が男の側。さあこれで遠慮なく男は女を殴れる。女湯に入れる、「同性介護」で女にガールディックを洗わせる人権（男根権）も獲得。パリテの女性枠もちゃっかりと占領、痴漢、露出狂も女性シェルターに泊まる。その他強姦救済シェルターの相談員、産婆、ガールスカウト合宿指導員、これ男にしたら困るやつばっかり。でも本人は「あたくしは気にしていません」で全部オッケー、日本など巫女さんはお風呂（お浄め場）が一緒になる可能性あり。謎人権ですね。

その上で「私たちの方が弱者ですよ」とばかりに、妊娠、生理を蹴散らして進む。もし日本で手術要件を撤廃すると？　未手術の戸籍変更が従来の百倍ぐらいになってしまうかもね。例？　英国がそうでした。ただし、トランス女性、トランス男性、ノンバイナリーあわせての百倍ですけど。

さて逆に？　「女は男である＝トランス男性は男性です」だと、どうなるのか、……。

女が男湯に入りますか？　貴女入れますか、毎日違う男と千人の男と？　男を殴れますか？　殴れる猛女ならもう殴っていますよね、でも仕返しに殺されたり強姦されているかもしれませんね？　そもそも性犯罪の99パーセント以上は男が起こします。なのに男性刑務所へ女体で入りたいですか？　しかも女性の大半は軽犯罪でしょう。「肉体などない」ですか？　99パーセント以上でも「男体差別」ですか？

米国・サウスカロライナ州のガソリンスタンドで撮影された公衆トイレ（1965年）
©Science History Images / Alamy Stock Photo

まあどっちにしろ海外の刑務所なら女子刑務所に行っても、連続で女性殺しをやった男や、強姦犯などが、国家公認のトランス女性として入所していますけど。でも変と言ったら別にそればかりではないんですねえ。ほら、……。

そもそもこの「男は女である」って例えば？「白人が黒人である」とどこが違うのか、だって人種を偽るとヘイトなんですよ？　それ「金持ちは貧乏人である」として生活保護貰うのと同じじゃないですか。学校に行けない黒人のための奨学金を白人が受けるようになってしまう。なおかつ、「男は女である」。これ、「白人は黒人である」と別の意味でひどいですね。つまり、現代社会においては？

白人の女も黒人の女もトイレは同じ、人類皆姉妹です。さて、これが黒人差別のある国だと黒人はカラードと言われて苛められ黒人だと女の人でも女子トイレが貰えない。共同便所でさせられる。女子トイレは女が人間である印なんですね（写真参照）。で、姉妹は平等に女子トイレを使う、が、……。

そこに男が入ってくると、痴漢強姦、阿鼻叫喚です。さらに、……。

「男は女である」これは近代医学に反しています。ね、近代医学というのは、人間の平等を支えた学問で、解剖すれば王も奴隷も同じ身体という認識の根源だから。しかし女と男の内臓は違います。脳、肺、骨格も。とはいえ近代医学は主に男性の体だけをモデルに発達したのでそこに問題は残っているのですが、でもさすがに男を女だとは言えません。

なのに日本では、婦人科という言葉もNGだと主張するTRAがいるんですね。理由はトランス男性が子供を産む時に、婦人と言う名の下で診察されると辛いからだそうです。え、さすがにそれはない、いえいえ、「男も産める」んです。例えば、――女に生まれていて「男を表明している人」が妊娠をすると？　ほら、産めました。要するに世界のあちこちでもう肉体の性別から何から全部取っ払って、それで子宮持ちとかまんこ持ちとか（すいません下品で）呼んでくるのですね。ここまで読めば判るように、これはトランス男性のために求められる人権サービスです。女でも男性表明が入るとここまで男根権が貰える、これ、ジェンダー保護ですね。女性差別から自分だけ逃れられるわけです。

ふん、女が男になっても肉体は変わらない、それでも何かいい目に会えるのか？　でも、このように、他の女を侮辱し、基本的な言葉を禁ずる事で優位には立てますね。さて、私のこの発言、ヘイトスピーチですか？　日本でそういう事言っているTRAの皆さんは相手の言論を奪い、理不尽を強要しないと自殺したくなるんですか？　なお、妊婦という言葉を禁止にしろと言ったのはデンマークです。この家畜大国では妊娠した人間は動物と見做すのかもしれませんね。また、母の日を母の日と呼ばない試みはオーストラリア等です。続きに戻ります。

この勢いでは、まったく、唯物論だって壊滅してしまいますからね。但し、唯物論においても、……。ドイツイデオロギーという改ざん疑惑のある共産主義の聖典に、「男と女はひとつにならねば（要約）」という下りがあります。私にはこれ「階級闘争」無視の唯心論的団結に見える。今思えば、というところ、この数行まさにジェンダー平等の起源となっている。続き？　脱線すいません。

カリフォルニアの女子刑務所では所内でコンドームを配っています。そこでは陰茎付き女性と称せられる雄体囚人が女性を名乗り、時に強姦もジェンダー平等パーンチもやらかします。え、「追い出せ」って？　でもこれら陰茎を追い出すのが「人権蹂躙」なんですよアメリカでは。「だけど女囚さんの人権は？　可哀相よ？」いや、だから米国のバイデン閣下こそが「女より陰茎が可哀相」って言うのです（だって閣下は今度は全米の刑務所にそうしようとしましたから）。それ以前に女って言う主語がもう「ない」のですから。

最近、ヒラリー・クリントン氏も「このような政策は選挙にひびく（要約）」と閣下に注意しました。アメリカのターフ達はバイデンが女を消した＝ #BidenErasedWomen とツイッターにハッシュタグを付けてバイデン批判してます。この、女の存在それ自体を消す政策、私はいつしかこれを世界、同時多発的に、女消、メケシと命名していました。これ女を消す運動世界現象です。しかし批判されてもカリフォルニアがバイデンの理想であるようです、というと？

10　ほらこれが先述の「極右のでっち上げ」です二〇二一年夏、……

アメリカ・カリフォルニア州韓国式温泉バスハウス、ウィスパの女湯に二〇〇二年から露出狂だった人物が、自分は女だと主張し侵入しました。この人物はジェンダー主義の活動家でノンバイナリー。これも清水晶子氏により右翼のでっちあげと言われた事件ですが、現地ではヘリコプターが飛ぶまでの騒乱になって、侵入者の性犯罪歴もばれてしまい、その上ウィスパに対する抗議運動をしていた地元女性をナイフで斬りつけたのはアンティファの左翼と判明、右翼のQアノンは来ていたけど群れになって来たのは後、まあ便乗犯。え？　お前さっきから女湯や女子トイレの話ばっかりだって？　性器にしか興味ないだろうって？　いえいえ、じゃあ筋肉の話をしてみましょう。

ニュージーランドでは女子重量上げの英連邦＝旧植民地諸国、国際大会（二〇一九年コモンウェルス大会）に市長の親戚の白人中年男が出て、若い先住民の苦労してここまで来た女性に勝ってしまいました。そればかりか、東京五輪に来たのはこの国内一位のローレル・ハバード嬢（自認）の方でした。ねえ、一昨年夏テレビの前で「え、え、これ、誰、これは、これが、あの、女子重量上げなの？？？」と困惑した方々、今どこまで把握しておられるでしょうか？　海外など既に、格闘技、ボクシングさえ男が女を殴っています。でもこれミックスファイトですらないんですね。「ジェンダー平等パーンチ」なんですねえ。

ただ実際にこうなってしまった外国でさえも、まあ多くは立法でなってしまうのですが、普通の穏健な人間にはその理由が判らない。なんで？　内緒で国会通過したからです。

でもその正体ったら「自分で自分の性別を勝手に変えるのは人権だ、顎髭陰茎付きでも本人が女だというのなら女湯に入れろ」、なわけで。これを多数決で通しその後は速攻でジェンダー保護要件を反差別法（発言禁止罰則付き）の中に放り込んでおけば、報道規制大成功です。

これ、日本だと悲劇ですね。ヘイトスピーチ解消法のような法が出来ると思います（泣）。

イギリスなどでずっと横行していた未成年の医療虐待についても、つい最近まで真実は報道されませんでした（11に詳細後述）。ＢＢＣの報道は最近漸く修復が始まっています。

なお、既に日本にもこの変異株、謎人権は上陸しています。一昨年はターフに阻まれて国会を襲うことに失敗したものの、現在は東京埼玉等を占拠、今は戦略をきっちり変えながらまだ日本を狙っている。油断ならぬのはこのジェンダー主義者が、未成年を集めて相談に乗るという団体が既に日本にもあるという事。「多様な選択で自由に生きる幸福」そう聞いた繊細な子供達が、ジェンダーは万能と教えこまれた子供が、理解のある親と共に一体、どんな運命を辿るか、ちょっと想像してみてください。実は私、今の世ならこれに捕まってしまったかもしれない人間なので人ごとじゃないのです。

子供時代の私、もしこのジェンダー主義で「自分の性別、うん、自分で決めていいよ、親には内緒ね、変える事可能だから」と言われてたら。

11　子供の性別を「自分で」決めさせた、タビストックジェンダークリニックの悲劇

二〇二二年七月、ロンドンのタビストックジェンダークリニックが閉鎖になりました。ここは英国で唯一の未成年トランスジェンダー用国立病院で、英国中から子供達が相談に来ていました。この子達は英語で言うとトランスユース、子供も含む未成年のトランスジェンダー、十八歳以下です。共同通信はトランスの若者と訳していますが、治療を受けた患者の中に実は十歳、十四歳の子供がいました。という事は？　その前から相談に来ていた子もいるはずですね。その結果、十歳で第二次性徴を止める薬＝思春期ブロック剤をかけられたわけです。さて、今ここに、トランスジェンダー、と私はまたしても、「うっかり」書きました。これも最近よく聞く、なおかつ意味の判らない言葉ですが、ぶっちゃけていうと、この事件においては？

自分の体の性別が自分にとって辛いと感じていた子供の事です。今から成長して男になる、女になっていく、そんな自分に耐えられないと感じた子供たちです。性別違和に苦しむ子がいるんですね。かつて、私もそうでした。しかし、このクリニックではそういう説明の仕方をしていなかったはずで、またTRAならば或いは今私の言った事を間違いだと言うでしょう。そして私というかつての当事者に向か

って、デマダー、ヘイター、キョクウーと言うはずですね。ならば、どういうのが「正しい」説明なのか？

最初ＴＲＡは「トランスジェンダーは生まれた時の体の性別と心の性別が違う」、と主張していたはずです。だってただ単に自分の性別が嫌、とか判らないというのならば、他の病名がありますから。例えば発達障害や、統合失調。或いは思春期の一過性の平凡な何か。多くの少女が生理や胸の成長体の変化に戸惑い、嫌悪しながらそこを超えて行きます。しかしまずその前に、……。

心に性別があるというの、それ、おかしくないですか？　前提変ですよ。

そもそも医学で判定できるような客観的な、「心の性別」って一体なんなんですか？　体と分離出来る魂があるってか？　焼き場で骨になっても残りますか？　男、女という肉体はあるが、でも男、女という心、魂はない。無論、そういうとジェンダー主義者たちは違うと言ってくる。「それは肉体を性別二元論で捉えた考え方で間違っている、性別はグラデーション、性器も染色体も内臓も、肉体に意味はない」と、でも、――そんなカルトはアメリカの内分泌学会で既に否定されているようです。医者ならどんなヤブでも性別は判ります。

そもそも肉体に意味がないのなら生命にも意味がないよ？　なのに、そう指摘すると「お前はナチスか、かつて生物学の知識こそが夜と霧を生んだ」とか言ってくるのですね。要するに、――生物学は全部優性学なわけですよこの人達にとっては。でもまあそんな議論をしている以前、そもそも子供に薬、手術は早すぎるのです。例えば、……。

子供の頃の私は自分は本当は男だと思っていた。ペニスは生えてくるものと信じ、男になる日のために心身を訓練し、女性に好かれるようにしようとして却って馬鹿にされ、生理は最初否認、ブラジャーもなかなかせず、男装しても痴漢に遭うので絶望するという思春期を送りました。しかし大人になってみると自分の体と折り合っていました。今はただの男装気味ノンケ婆ちゃんです。一人称オレをよく使います。ズボンだと足を開いて座る。でもそんなの現代でなくてもお婆さんなら普通。「今さら嫁に行くわけでもないでオレは」。

思春期の性別違和というのはよくある事で、その中から普通に同性愛になる人が出る事もあります。特別なカウンセリングの必要な子供はごく一部です。なのに、……。

新世紀二十年まずイギリスにおいて、早まった治療を受けた彼らの運命は？　そこで八百人の未成年に使われた薬とは（泣）？

高確率で不妊、高確率で生涯に亘る不感症を起こすものであった。なおイギリスではこのジェンダー政策を政府が支持するようになってから自分の性別を拒否る人が激増し、十年間で従来の4000パーセント、女性から男性に移行しています。安易なカウンセリングでトランス（性別移行）に導き、親の関与を制限して子供を誘導していたのでしょうか？

性別を手術なしで変えられるようになってから英国でその人数は百倍になり、なおかつ99パーセントは人権の名において手術をせず、自分の望む性別で暮らしました。その結果女子スペース、女子スポーツ、統計を乱し、社会の混乱を生んだのです。しかしこの混乱において例えば、女子更衣室に関する政策などはＴＲＡのロビー活動の結果に過ぎず、本来、その法的根拠となるはずの、女装者のための保護要件などどこにもなかったわけで、……。

二〇〇四年から始まって今やっと回復される異常事態。この世代の少女は一体どんな思春期を送ったのか、ていうか一世代分の義務教育が、ジェンダー主義の下で行われたとは（泣）。

その一方、外見を望む性別に変える事も人権になってしまいました。とはいえ……。

それを子供の「自主性と判断力」にまかせて良いものか？　親が反対すると人権侵害になる場合があるというからくりです。その結果自分のジェンダーを元に戻そうとする（＝デトランス、デトランジションン）子供が現れます。親が止めたりしにくい体制下で、ジェンダー肯定治療（＝基本子供の言い分を受け入れる）が行われていました。今からは子供達の家族による、千人の集団訴訟が起こると言われています。それで被告側は？

「子供の自由意思」とか言うんでしょうか？　ノルウェーなどはこの治療が六歳から出来ますが、もっと下の二歳とか年齢制限なしでさせろとか言うジェンダー主義者もいます。こうした子供たちが大人になれば、自分が何をされたか気付く運命になるのでしょう。

女性差別が嫌で男になりたい？　なれません。まず自分を大切に、カウンセリングを受けて待ち、究極の選択としての薬を絶対必要なら大人になってから。と言っても結局それらは生命を縮めます。

それでも長年にわたる強い苦悶の続く人は服薬し、手術をするのです。その人達にとってそれは命綱なのだろうと、治療も何もしないで「心は男」とか私小説で言いながら私は生きてきました。ジェンダー肯定治療の法制化には絶対反対です。

なお、この悲劇に関与するような心の性別を主張していたイギリスの慈善団体マーメイドは、「間違った体に生まれてきた」という言い方は止めましたが未だに「心の性別」＝ジェンダーアイデンティティーという言い方は止めていません。

これにイギリスの国民が嵌められたのは二〇〇四年、明白に抜けはじめたのは二〇二〇年、スウェーデン、フィンランドは既に、このような未成年の医療虐待の制限を始めています。他国も見直しが始まっています。しかし、受けた被害が元に戻らない場合もある。子供の体は薬で変形し、その後も一生、つまり半世紀以上も、高価な薬を飲みつづけるしかなくなる可能性がある。しかも「子供の自由意志」でそうなるのだなんて（泣）。

日本は森永砒素ミルク事件、薬害エイズ事件等があったけれど、政府の対応は製薬会社の家来にしか見えなかった。そして今回、この類の治療の、他に疑われる副作用とは？

生涯に亘る激痛、不妊、不感症、脳（萎縮、記憶障害）、性器（マイクロペニス）、胸（手術、乳首等の喪失）、骨（子供なのに老人化してぼろぼろに）身長（低いまま）、産毛、声帯、視力低下（失明）にまで及ぶ。自殺衝動が増すこともある。これ、性別違和からの自殺を止めるための治療のはずなのにね（泣）。前立腺ガンや乳ガンの抗ガン剤も使われていると言うし、……。

報道？

紙だと日本においてはせいぜい私（しかもこのムック）くらいかなあ？　他にもしあれば、喜ぶけど。

というのも、ジェンダー主義を推進するさる民間団体が「法連合」と名乗り、何の公的権限もないまま頒布した彼らのガイドラインを、マスコミがそのまま信じているから。そしてそこに書かれた同性愛の定義は、まさに「男は女である」。なので「男が勝手にレズビアンと名乗ってもいい」を支える根拠になっています。なお、このレズビアンをさっきの呪文と同じようにして、トランスレズビアンとTRAは呼んでいます。巷の当事者達は怒って抗議、自民党特命委員会で反ジェンダー的陳述をした性的少数者もいます。そして法務省のサイトではこのトランスレズビアンの定義を今は採用していません。要は陰茎つきで性欲の対象も女ということです。

トランスレズビアンとはトランス女性と同じ言葉遊びです。上にただ「トランス」と付けただけで実質、肉体はヘテロ、ノンケです。言うだけ口だけでなれる性的少数者、逆も同じ。すいません「難解」で。

例えばさっきのトランス男性妊娠、これは法政大学出の左翼に十回説明してその後写真を見せて、それでやっと伝わった程でした。企業や団体はジェンダー主義に染まるというよりも判らないと差別者と呼ばれるので従っているのかもしれませんね。でも、そろそろ様子が判ってきたでしょう？

リベラル、左翼、赤旗もこのジェンダーについて実に不明瞭な「美談」しか載せません。「週刊金曜日」も反ジェンダー弁護士滝本太郎さんの起こした裁判について、一方的な記事を書いている。ここの書き手はTRAが多いですし中には有名活動家のトランス女性と二十年来の親友という女性ライターもいて、この人は私の本を読むので糾弾されています。朝日や共同通信はロイターをソースにする事が多く、そうなるともう、ジェンダーは聖域、海外は既にメッカ、本場ですからね。ガーディアンやワシントンポストも今までずっと間違いを犯し続けていて、しかしタビストック閉鎖はさすがにガーディアンも（淡々とかつＴＲＡの視点入りではあるが）書きましたね。

今まで見たように、この謎人権は概ね、女権殲滅的、児童虐待的、同性愛者侮辱的、言論破壊、法律リセット的なのがその本質です（性分化疾患者の黙殺や侮辱的発言もありますから後述）。このままだと国民は最悪それを全部受け入れなければならなくなる。また、それは時に立法されずとも人権と化してゆく。弱者の人権も行政予算も公的医療も税金も喰われて行く。なんでそれが反差別のトップに踊り出たのか。はい、ここがポイント、とどめ、要は、ついにネタバレ。試験にはここが出ますよ（泣）。

理由？——世界の富豪や富豪の財団、また医療複合体や広告宣伝会社、そのような人々の意向を受けた巨大資金が、ジェンダーを暴走させているんですね。企業名で言うと？　ファイザー、マイクロソフト等、日本でも大手の製薬会社。人で言うと？　ビル・ゲイツ、ジョージ・ソロス等、国内では竹中平蔵ですね。団体だとオープンソサエティ財団、アーカス財団、日本においてはまあ既に外資化を終えた経団連、電通。ああ、その他には、日本財団も。証拠？　ありますとも、このジェンダーに基づいた権利主張をするデモの支援企業がここところ、等私は言っているだけですので。そのデモを日本共産党ジェンダー平等委員会の山添拓氏が絶賛しています。この人今志位さんの後継者候補です。

これ、リベラル政党の支持者というのが決してマスコミ文化人などではなく、右が食い残した何か、という意味ですよねえ？

権力は軍事など巨悪の金で動き、「反権力」は売春（ソロス後述）や医療など弱者を喰う（泣）。

なお、ジェンダー主義は金持ちや白人に向いています。理由？　身体感覚が希薄で、汚れ仕事を弱者に押しつけていれば、結果、肉体、現実感覚が薄れていきますから。

さて海外の方法論で日本もやられるのか？　法律を一個作ればそれでオッケーなんです。しかも作り方は二つ。取り合えず、次はそこを見てみましょう。

12 「トランス差別をやめる」と他の人権は？ ＬＧＢＴ法案とは名ばかりジェンダー独裁

二つの方法と先程書きました。ひとつは今まで説明してきた性自認、ジェンダー法を新しく作る事、もうひとつは、これも説明済、ＧＩＤ特例法の本質を叩き壊す、つまり手術要件を撤廃する事、両方やると完全なセルフＩＤ制の完成です。まあ後者だけでも日本は破壊されますけど。ＴＲＡは最初前者に力を入れていましたが、ターフと保守に負けたオリンピック以後は、後者の方が脈ありと思ったのではないでしょうか。

前者はオリンピックレガシーという強みがありましたが、同性結婚希望なだけの同性愛者を楯に、隠れ蓑に、弾除けにして新法を作ろうとしたんですね。そのためにＬＧＢＴという団結、主語にＴＲＡは寄生したわけです。というかウィルスになって入っていたわけです。まあ今思えばこのＬＧＢＴ、絶対に一緒にしてはいけないパターンの性的少数者を、一緒くたに纏めた結果、性的少数者のための立法なんかどうやっても出来ない状況に追い込まれてしまいました。というと？　まず、ＬＧＢとＴ、違うものであるばかりか対立するものですよ、どこが？　――根本にある性的認識が違うのです。まず、同性愛、両性愛の愛の対象は肉体の性別によって規定されます。しかしＴの中のジェンダー主義者はここへくっついて、人間の肉体と魂を分離するポーズを取り、なおかつ性別は言うだけ口だけで変えられると称し、ＬＧＢの世界を混乱させました。しかし同性愛は肉体の性別が最優先です。なのにＴＲＡはその定義を変える事で、彼らの存在を否定し権利を無効化しようとしてしまいました。というと？「私＝女性、レズビアン」から「私のジェンダー＝女性、レズビアン、陰茎有るけどね」に変わってしまったら、今まで獲得したレズビアンの場所や権利だって勝手に名乗った言うだけ口だけ同性愛者に奪われてしまうのです。このからくり、女性の権利を奪う時とそっくりです。ていうかレズビアンも女性ですから。Ｂの女性と同じにＬＧＢＴ中の弱者という事です。一方、……。

ジェンダー主義では男なのに女と名乗るだけでレズビアンになり、性的少数者としての被害を主張出来るのです。しかも従来のレズビアンよりも「トランス」してなった分苦労が多いから自分たちの方が保護されるべきだという理屈までついている。つまりそんなジェンダーで保護されたジェンダー平等なら、予算でもスペースでも一般のレズビアンよりも優先という事ですね。だけど何がどこがレズビアンでしょうか。トランスレズビアン、例えばニューコンビーフ、牛の肉ではないよ？　トランスレズビアン、ジェンダー主義者なだけのノンケの男でしょう？

七〇年代から、自分は女だと主張してレズビアンクラブに入ろうとする男はいたそうです。今のクラブは大半そういう人々を受けいれているそうです。そこまで譲ってても許さずにもっともっとと入ってくるのがこのジェンダー主義者です。ビアン達はもともとペニスが嫌いだからレズビアンなのに、ジェンダーで女になったと称する陰茎付きの人体から「女」同士だからと口説かれたり、レズビアンクラブのお見合いがそれで妨害される。ついには女だけで交際できるレズビアンクラブが無くなってしまう（難解ですいませんせん泣）。でもこれがもしゲイならば「出ていけ」と怒鳴れるし、組るトランス男性を体力で追い出せる。一方、それこそ、女肉男食、レズビアンのスペースの方は男に入って来られたらそれでアウトです。今まではそうならないように、頭の良い気の強いベテランの女性従業員が入念なチェックを行っていたそうです（私は直接行っていないけど行った人の話）。しかしもしジェンダー無敵、ジェンダー保護法が国会通過すれば、……。

そもそも女だけのコンサートを求めたレズビアン一家を殺したのは、トランス女性です。この女子スペースにおける凄まじい利益相反をＴＲＡはないというわけです。その上でのＬＧＢＴ団結なわけで。これ、かつて貧富の差を無視して団結した、ドイツ民族団結を想起させます。当然の事ながら……。

既に海外ではこのＬＧＢだけが分離した団体が出来ていまして、世界組織有名どころではＬＧＢアライアンス、そこで彼らに日本のＴＲＡの投げる言葉は？「保守の陰謀だ分断だ、このトランスヘイト団体め」です。他、レズビアンだけの独立を求める声もあってやはりレズビアンが一番弱いんですね。

この、ＬＧＢＴ、私も最初は何か気の毒な人々の代表であって、数が少ないから纏まって運動しているのだろうとしか思っていませんでした。ところが気が付いた。実は当事者が反対していて、中には同性婚の法的承認を我慢してでも今はこのＴＲＡに抵抗しようと、ターフになって頑張っている女性がいます。ネットには「私は性的少数者だが、ＬＧＢＴは大嫌いだ」という一件難解だか実は実態を現したツイートが飛び交う事もあります。

そして結局Ｔの中にも深刻な利害対立がありますね、先述の手術したい人とそれを馬鹿にするレディーディック（泣）ウーマンウィズペニス（泣）との対立です。これも実は世界趨勢なのでここで難解かもですが少し説明してみます。さて、……。

一昨年オリンピックレガシーによるＬＧＢＴ立法を要求する反自民デモがありました。この時のプラカードに使われたピンク、白、水色のストライプ、――この縞はトランスのお印なんですね。そしてレインボーは？　これもよく見掛けるカラーでしょう。でもね、……。

今のようなブームよりもずっと以前からこのレインボー旗を使ってきたストーンウォールって団体を御存知ですか。このストーンウォールは英国の前世紀末からある慈善団体、かつてはゲイの権利に尽くしてきた良い組織でした。しかし二〇一五年からふいに政策を変え、というかモンスターと化したジェンダーに乗っ取られてしまったのですね。元々から不自然な団結であるＬＧＢＴ、この元々はトランスセクシャル主体だったＴの中に、ジェンダー主義に基づく陰茎付き女性（＝自分は女性だと主張する男性）が参入すると決まったのは実はこの頃からです。当時からこの性的マイノリティのカジュアル化は従来の当事者達に評判が悪く、ことに自分で望んで手術する人々とは対立がありました。日本でも一時この手術を望んでする方々の思想に対し、ＴＲＡが、「くたばれ」などと言ってそのためのイベントまで行って叩いていました。その後謝罪したというのですが、それでも攻撃した事実はなくなりません。まああれもこれも世界趨勢ですね。で、手術話です。

さて、ＬＧＢＴ立法要求の反自民デモにおいて、デモ中で一際目立ったのがこの本人達の望む手術を「去勢」と動物扱いしている、ＨＲＷヒューマンライツウォッチという団体でした。どんな団体か？多くの人々には好印象なのではないでしょうか。さて、……。

富豪左翼ジョージ・ソロスはここに一億ドルの条件付き支援をしています。さらにここの日本代表はなんと、このデモの時、自分達には世界企業の注目（肯定的なもの）があると暗示しながら、反自民アピールを繰り返していました。え？？？　するとと反自民デモなのに反権力ではないと？？？　世界の大企業が協賛していると？？　まあ確かに、電通や経団連は、先述のように賛成なんですね。反差別を資本主義権力が買い支えているのです。あと自民の子分の（はずの）立民は一体どっちの味方をするんだろうかなーと。答え？　立民は強硬なジェンダー政党です。旗手というべき尾辻かな子氏もいます。

今までの私はＨＲＷを、全体に良いことをする人権団体だと思っていました。そしてこの時のデモの名目も反差別だった。でも、私はこのアピールを見ていて、世界正義の中に紛れ込んだ、取り返しの付かないウィルスというものを発見してしまいました。つまり、そこには乗っ取られた偽物の反差別しかないという事ですね。

ツイッターではこの縞と虹を同時に付けているアカウントもいて、キャンセルカルチャーをやっています。小さい書店などを謝らせても飽き足りず、より一層の反省（本の撤去等）を要求して止みません。で？

自民党より強いものが国を動かそうとして、一見正しい野党を使ってこんなことをしていると私は思いました。新世紀においてはリベ自と極右だと、リベ自の勝ちなのだと気付きました。ていうか、……。権力は左（リベ）の顔をしてやって来るようになったのです。油断もすきもない時代、オリンピック前夜、結局国会には上程しなかったものの危ないところでした。

そうです。——前文の毒饅頭自民党案に最初なかったはずの新訳、性自認の一語が野党とのすりあわせで入ってきた。稲田朋美氏が今もそれを大丈夫と言い続けています。「性自認と性同一性は同じものだから」と。でも同じ扱いという規定はその条文に入るのでしょうか、同じ扱いだったらどうしてわざわざ言葉を変えるのでしょうか？　しかもこの性自認という言葉にはそれによる「差別は許されない」という一文が続くのです。なおかつ野田聖子氏は「当事者が差別と言ったら差別」という定義でそれを運用しようとしていました。慎重派なのが高市早苗氏でした。定義のないものは法制化してはいけない、これ正論です。

要するにＬＧＢＴとは、普通に同性結婚したい真面目な人々の尻に、クイア思想信奉者で手術する気もなく、女湯に入りたいジェンダー主義男がくっついている寄生状態なわけですよ。しかも主導権は後者が持っている。なるほどデモ等の運動において数の少ないところが寄り合い所帯でやるというのは分かりますよ。しかし稲田氏らは立法で利益対立のある主語をそのまま使った上、Ｔのごく一部にだけ絶対的な権限を与えるすりあわせをしようとしたのですよ？

自民には同性愛結婚に反対の男性議員もいるようですが、それでもオリンピックレガシーでせめてその契機になる法が出来たかもしれなかった。穏健というか緩い自民党案ならそのまま通ったのに、なのに、こうしたTRAの活躍の結果（略）。

こういう当事者の反対も野党は無視して、こんな外国かぶれをやっているのです。「トランス差別反対」のTRAやアライ（＝味方する人、時に迷惑勝手連）ってそのLGBTの当事者大半と何の関係もないんですよ、なのにテレビも新聞も関係あるかのように取り扱っていて、それは左翼のごく一部が代表面してやっているのです。カナダ、オーストラリア等元植民地だった国でも頻発しています。国民が何も気づかぬうちに国会を通過する事の多いジェンダー政策は「女たちに向けられた戦争」と呼ばれる事がある程、女権剝奪的です。

日本の彼らの主張もやり方も海外とそっくり、仏教徒に通用しない論理や言葉をにわかに猿まねしているけど、私はむしろ怖くて笑えません。後ろで影響を与えているものたちの巨大さに戦慄です。直輸入の筆頭福島瑞穂「メール一本で性別が変えられる」、「性自認が大切だ」、これすべてノルウェーの受け売りでした。福島氏は昔AV自体に反対していたのに、今では売春合法化党の女党首です。彼女がAV新法にも賛成したので、有名フェミニスト二人が社民党の支持をやめてしまいました。この内の一人は共産党をも批判しています。二人共が発言よりも活動が主体で、大学教員ではなく、テレビもあまり出ません。なお、子供や同性愛者の医療虐待には「第二のサリドマイド事件」、「経済目的の731部隊」などというあだ名が匿名のツイート（日本）でぽつぽつとですが掲示されています。

このジェンダー新法を、日本に導入しようとしたのは、例の日本学術会議、提言には戸籍変更から外性器相似要件をなくすとあります。タ一フがネットで差別行為をしたと作っています。しかも同性愛者を楯に、隠れ蓑に、弾除けにして新法を作ろうという話なんですよ。普通、気がついた同性愛者は反対します。タ一フにレズビアンがいるわけですね。

13　千載一遇で政権交代が出来たはずなのに、なぜか今ジェンダーでコケる百年政党

昨年から私は自民党に投票しています。飽くまでも当面、様子を見ながらですが。そもそも自民と仲の良い経団連はジェンダー一派ですし自民党内でもグローバル派の大物は、野田聖子等ジェンダーですから。そもそもあの埼玉が、稲田朋美傘下ですし、当の稲田氏の埼玉後援会長が主導した結果、ここはジェンダー条例が成立しました。しかも民意は反対としか思えない中でですよ？　パブコメの動向は勝手に虹側が纏めてツイートしているわ、四千件の殆どが反対意見であった事までむしろ差別の印とされたそうです。反対すれば差別、別の意見は差別、稲田議員は選挙区において統一協会と関係ありましたよね？

さいたま市は今度、学校のポスター等にレインボーマークを入れたりして、「理解」を求める事も決めてしまいました。ここの市長も統一協会の支援を受けていて問題になりました。さて、……。「統一協会が反レインボー」ってラジオでずーっと言っている左翼文化人がいるのですが、普通にニュース見ていればそんなはずないですよね。立民数名、枝野氏も辻元氏もここと接触があったはずで、ま

あ別にカルトなんかかばう気はないですよ壺売りは怖い。一方トランス肯定治療はまさに、魔法の薬売り、子供の未来や健康も奪って行く、医療費もしっかりと親や税金から取って行く、壺は助けてくれる弁護士も既にいるが、魔法の薬は今から弁護士を探さないと。

例の第二次性徴ブロック剤、日本も検索で新聞記事が出ます。私の見たケースは投薬開始から十年以上経過していました。無事であってほしいです。心配です。

例えばスウェーデンは現在、性別不合の子供に対するホルモン治療を止めているわけで、……。しかし本当にこんな事を？　野党全部と極右残しただけの自民党全部が、日本の子供を生きたまま医療複合体に食わせる気なんですか？　とはいえ、……。

私にとって比例が自民というのは究極の選択でした。ただ参院選の比例は山谷えり子氏がいましたから。だったら投票に行こう、という気が私にはありました。というのも一昨年六月、私はターフが世界企業に勝つ歴史的瞬間を見ていたからです。オリンピックの前、……。

大新聞や赤旗で「報道」された、反自民、反差別デモがありましたね。山谷えり子という「差別議員」が糾弾を受けた、彼女の発言は「デマ」なのだと。

オリンピックレガシーの美名の元、ＴＲＡはＬＧＢＴ法案とは名ばかり、ただのジェンダーウィルス入りの、女肉男食のＴＲＡご用達の、毒入りジェンダー新法を作ろうとしていました。その一方山谷氏は前のＧＩＤ特例法の強力推進者、性転換手術の母とも言える。ここに入っている手術要件が彼らにとっては最大の敵なのかと、私は思いました。特例法はジェンダー牽制法ですから。

ターフが必死で保守に資料を届けていた時、おそらくあの時点では自民党の男性議員は何も判っていなくて、或いは昔の特例法議論もまったく知らなくて、ただ新しい知らない概念をいれるのが嫌だとか中には同性婚も嫌だと思うようなレベルだったのではないでしょうか。確かに男性では城内実氏や西田昌司氏など出て来てくれてこの人々も強くて一歩も引かないけれど、当時は彼女だけ。そんな中で（泣）彼女は「LGBT理解増進法の中に性自認＝ジェンダーアイデンティティーの新訳が入ってしまうと、女子スポーツに男子が参入してメダルを取ったり、女子トイレに男子が入ってくるような不条理な事が起こる（要約）」と発言したんですね、でもね、それ、むしろ彼女だけが本当の事を言っていた。なぜか新しいことを「知っていた」んです。彼女は民社党からスタートして長い道を来た議員であり、別に世襲でもなく、選挙にもいまいち強くない女の重鎮ですよ。それが女の権利なんかどうでもいいはずの男の議員たちの中から、進み出て絶対に謝罪しなかった。ばかりか男の議員の分まで糾弾されて、あの時集まったチェンジドットオーグの反差別署名十万通は各政党に提出されたけれど、そのうちの六万は外国からでした。この六万人は日本の現状を知っているのでしょうか？

まあ私は男のゲイ差別議員の味方をする気はない。たちまち切り捨てます。

そして政治がどろどろなのも知っています。平民はその中から乗れるものに乗るしかない。山谷氏は欠点も色々あります。子供の性教育は良いものも否定したし、TPPの時も最初は反対していたのに、安倍派だから賛成してしまった。これ、安倍氏が極右とグローバルをまとめていたのでしょうね。山谷氏は海外について一番勉強してなんでも知っていても、野田聖子氏のような地盤や資金がなく、そして今主のないまま、彼女の年齢だと次の選挙には出にくいはずです。

　偉い男の人は優秀な女を利用して、自分を超えそうになると捨てるものです（例高市早苗氏、総理になれそうだと微妙に派閥から外してしまう）。山谷氏も故安倍晋三氏から海外知識のある人材として重宝され、そんな中ひたすら主に従いその事によって自分のしたい政策を実現させて来た。だったらしたい政策をまっとうするため、他に余計な事はしないはずなんです。自分が作った特例法もきっと任期最後まで全力で維持しようと思うでしょう。彼女には出来れば反安倍派閥でも何でも入って生き残って欲しいし、最後まで残した政策だけをちゃんとやって欲しい。

『笙野頼子発禁小説集』の「引きこもりてコロナ書く」を見れば私がどれだけの反安倍で当時から統一協会的なものを予想していたかは分かると思います。でもその上で今の私は政党を見ず、議員個人のジェンダー政策を主に見ています。これはもう新世紀のデフォルトで、ロビー活動をしているターフもTRAも全員政党にはこだわりません。話をきいてくれるところに突っ込んでいくのです。

　山谷氏のライフワークは北朝鮮拉致事件で、これ故にこの人に投票するしかない民がいます。女肉男食を憂う私も同じ民です。拉致についても最初はデマだと思われ、マスコミも学術も左翼も敵側、思えば今回の状況とそっくりです。

　まあ偉そうに言ったって私は無力たかが一票ですよ。でも政治とは何か？　敵と結んででも事態の転換を求めること、しかもそれは早く極端な程、効果がある。私は三里塚の事を思い出しました。富農たちは毛嫌いしていた左翼政党とたちまち結んで自分達の土地を守ったのです。金持ちは賢い、でも今回下層左翼女性がどこまで出来るか。ただ女が極右に寄る事はもう世界趨勢です。英米でも左翼の大物女性が右と提携してでも女性の人権を守ろうとしています。リスクを計算しながら覚悟してやるのです。全て失うよりはましですから。

そんな中、ネットの共産党支持者、野党の下部組織はたかをくくっています。私は山谷氏に投票したことをネットに出しましたが、それは彼らにとってむしろ「勝利」なのでした。彼らは自分たちの選挙民を取られたとは思わない。女が間違ったことをしたので、自分たちの勝ち、これで使い捨て、やっつけてやったとしか思わないのです。女を極右に追いやることは彼らの一番好きな遊び＝目的だと思いました。自党の票田を枯らしてでもしたいゲームなんです。女を追い詰めて汚して嘲笑し、ゴミの日に出せば部屋が片づくと思っているのです。彼らにとっては自分たちと違う体の存在は家畜、目障り、叩きに叩いて利用するだけ利用し、その上でいなくなったらせいせいしたと思う。まさに男尊左翼の「本懐」ですね。そうすると左翼の女性議員はそれでも残る程の「逸材」なんですね。と思ってふと見ると、……。

今までのフェミニスト左翼女性議員が、喜々として売春合法化や代理母合法化をやっています。リベ自の大物女性も負けていません。まるで最初からそのための人形だったみたい。

私の山谷投票が余程嬉しかったのか、いつしか男尊左翼による、#臣民への道、という右翼専用のタグまで使われました。でもね、こっちにしてみれば#家畜小屋への扉、#魔女裁判まっしぐら、#タビストックの旗振り、#タビストックの薬売り、#幸福の坪売りか魔法の薬売りか？　ですよ。

既に共産はマイブランドではなく、私が極右を取ったという事は実は彼らもう極右に負けたんです。なので女が好きなところに投票出来るというシステムを、特に彼らが理解出来てなくても私は怒らないのですよ。それは既に私自身の問題ではないわけですから。

かつて市川房枝氏が婦人参政権欲しさに愛国婦人会に関与してしまった。その事をご本人の汚点だとしか思わないのが、――男尊左翼です。

最初に自民に投票した時はあまりの悲劇に鉛筆が折れました。しかし夏の参院選、もう覚悟は出来ていました。私などよりも今共産を離れる、特に子供の頃から共産党の演説を聞いて育った人達が心配でした。どんなに辛いだろうと。身内も友達も時には彼氏も失うかもしれないのに。で？

参院選の結果は見てのとおり、衆院選に続き、共産、立民の惨敗です。世界趨勢をなぞってしまった。理由は、ジェンダーが地味に効いたからじゃないのだろうか？

妄想だろうって？　だけど新宿区長選、オール野党でトランス女性よだかれん氏が候補、性的マイノリティの多い新宿です。れいわもジェンダーに突っ込んでいます。にもかかわらず今までにないほどのダブルスコア負け。実は前の新宿区長選の時に私はこの傾向を予測した小説（「返信を、待っていた」『笙野頼子発禁小説集』収録）を書いています。男尊左翼という言葉はその時に造語したものです。

私は共産党へ一年以上資料を送りました。無駄でしたが諦めがついて良かったです。ただ、党がこのまま溶けたら良心的な末端党員だけが残り、その人たちが女性党を作るだろうなどと思うので希望は捨てません。自分は沖縄の味方でいたいし難病だし、与党をずっとそのまま信用したりは出来ない、――

と思っていたらなんとオール沖縄まで七連敗していました。

米軍基地反対のアカウントの中にもこのジェンダー批判をしている人がいる程です（まあ当然と言えば当然だと思います）。

「他人と違う生き方をしても生きにくさのない、多様性を許す環境にしよう（＝インクルーシブ、包括的社会）」だの「性的少数者も自由に生きられる環境（＝ＳＯＧＩ）に向かう」とか、そういう話の実態は結局これなんですよ。経緯も見た私から言わせてもらいますが、絶対に、彼らを信じてはいけません。

結論？　今の日本で何が起こっているのか、知っているのは実はターフ（含私）だけなんです！

14　ターフとは？　TRANS-EXCLUSIONARY RADICAL FEMINIST

基本は女、それも普通の女です。滝本太郎さんなどは自称で防波堤と言っています。このターフ達は要するに、私が先に述べたような事しか言いません。なのに（院フェミ必読のラディカルフェミニストの）ドウォーキンもマッキノンも、何も知らない人さえラディフェミと言われます。差別者、人殺しなど濡れ衣を着せられ、その上で社会的に追い込まれます。怒鳴られ（動画）、殴られ（動画）、仕事を干され（ＢＢＣ報道）、レズビアンは特にデモを邪魔され掲げたプラカードは破壊、または没収される（動画）骨を折られたり（報道）、家を見張られたり（報道）、……。

先の、同居の一家が皆殺しにされたレズビアンのカップルの養子さんというのは黒人の男性で、ジェンダー主義男はこの青年までも殺しています。ジェンダー保護はＢＬＭより優先なんですかね。他、組織でも女性のためのＮＰＯなど、これに逆らうと政府からの支援を打ち切られたり。既に欧米北米北欧あたりのターフなんか昔のサフラジェット（イギリス等の婦人参政権運動、過激派もいました）そのままです。海外には「私たちは燃やされなかった魔女の子孫」という言葉もあるくらいで、ターフがＴＲ

Aにされる糾弾は独特です。

TRAは「ターフに虐殺された」というけどしていません。レズビアンターフの一家を皆殺しにしたのはTRAです。ネットなどだとターフはたちまち、「顔に刺青しろ」、「収容所に入れろ」、「道で野糞させろ」などと言われ、TRAから取り囲まれます。英語圏だと「ガス室へ」とまで言います。ターフの中にはユダヤ人女性も一杯いるのにどっちが反ユダヤ主義なんでしょうか？

さて、ターフの有名ナンバーワンというとハリー・ポッター作者のJ・K・ローリング氏ですね。女という言葉を忘れたと皮肉を言った結果、――世界中からの殺人予告、強姦予告、爆破予告、グロや不潔な脅迫動画、本を燃やす映像、家の前での威嚇、殺せというプラカードが勢ぞろいするデモに攻撃されました。さらにはこの世界的児童文学者から、版権の取り上げを主張する人々まで現れたのです。その上ご本人の原作映画で世に出たはずの若手俳優が公にいちいち侮辱をする。これ、原作者から深く恩恵を受けているからこそ、敢えて人前で叩くという得手勝手な「懺悔」的保身術ですよね？　まるで文革ですね。朝日新聞などローリングを差別者呼ばわりで報道しています。朝日はネットにも間違えた記事を出してこれはさすがに訂正。「ローリングは女という言葉を使わず、生理のある人などと言っている差別者だ」と書いてあった。ここは海外支局とかないのでしょうか？　ていうかローリングは、……。

子供や若い同性愛者へのジェンダー肯定治療による医療虐待を批判している人で、慈善家として女性のためのシェルターも支援しています。何も悪いことはしていません。実在のGID者や同性愛者からも擁護されています。

他の有名人だと、スポーツでは、女子テニス、レズビアン当事者のマルチナ・ナブラチロワ、彼女は女子スポーツ擁護をのべて性的少数者のための団体から除名させられています。文学者ではチママンダ・アディーチェ、なお、マーガレット・アトウッドは作品を図書館に置くなと言われています（と言っているうちにアリス・ウォーカーがローリングの擁護を始めました、すごい）。

でも別に有名であろうが無名であろうが、女を人間だと思っている限り、というか当事者意識があれば反対しますよね。

別にフェミニズムの勉強などしてなくても、小さい女の子のいる母親なら普通、ターフになるでしょう。なお、ターフには新旧あり、ターフ同士でケンカもします。二〇一八年頃からの人たちをネットやオフではターフ老人会と言うのですが、リアルで会があるわけではない。ずっと、ばらばらにやってて、実際、団体がいくつか出来たのは随分後、ここ二年程度です。そこも本名とか知らない人が大半だそうです。私はひとり活動で会には入りません。ターフ認定されたのは二〇一八年末からです。今はあちこちに時々コメントを出したりして連帯したつもりでいます。ていうかこれが二冊目のターフ文学です。

名前を知っているのは、Ｎｏ！セルフＩＤ――女性の人権と安全を求める会、女性スペースを守る会、さらにガチ当事者の会は、性別不合当事者の会、まさに反ジェンダーです。このターフの世界組織でＷＤＩというのもあるのですが、私はそことの連絡が出来たのは昨年五月と大変遅いです。ここは作家として迫害されている時、連帯してくれたのがきっかけで連絡がつきました。書影も公式サイトに載っています。

なおわが国におけるＴＲＡの特化形、ターフクラッシャーの最近の主力は、やはり新世紀の男尊左翼（＝私の造語ですがやはり世界同時多発現象でした、英語だとミソジニーレフト、レフツミソジニー等）です。私を叩く人には、共産党支持者を名乗る人物が多く、アンティファの兼任も活躍しています。中にはフェイスブックにこの党のネットサポーターと書いてある地方有力党員のお子さん（初老）もいて、共産党の地元町議クラスが女子スポーツ心配とツイートしたりすると、直接会って説明をと公言します。結果は町議側のツイート削除でした。私や多くの左翼女性が共産党のジェンダー平等委員会に似たような被害を訴えても党は結局知らんぷりですね。まあ共産でも町議クラスは以前なら味方がいました。でもある北海道女性町議などはＴＲＡに糾弾され、二年後の今もツイッターが鍵アカです。議員が政策や近況をネットで気軽に公開出来ないなら、党内でさえ議論出来ませんね？　今思えば随分早くに綱領を変えていました。なお、こういうＴＲＡのターフクラッシャーは他政党にもいます。私が山谷氏に投票したからという理由で版元、書店に絶版、店頭撤去を迫る人物など、社民党副党首とトークしています。れいわの大石あきこ議員もターフに対して殴る恰好を動画でしています。ていうか野党の女性議員大半が男よりすごいターフクラッシャー、ターフヘイターなんですから。

共産は現在の綱領からは二年前に男女平等という言葉が消え、このジェンダー、ジェンダー平等が入っています。つまりは女消なんですね。赤旗もこの新語入り日曜版八十万部も今やジェンダー一色、本紙は二年前の一月にまず、高齢党員が「ジェンダーってなんだべ」と言っている（今から学ぶの意か?・）、という記事が出ました。が、当時から高齢でも「国勢調査どうするんでしょうかね」等、危険性を知っている方はいました。でも一方、末端の党員さんが現在もその意味を知らなかったり、知っていても何らかの解決が得られると信じて、そのまま党に従ったりしているのも本当です。貧困等のデモに来ている野党支持者の方の中には未だにそれが何か知らない人もいたりします。ただ、……。

勉強して実態を把握した外国に強い女性共産党員達の中にはこれ故に離党する人がいます。昨年十一月にはこの離党女性も参加して、代々木本部前での抗議デモまで行われました。要するに女性たちは共同便所で女児が殺されたり、生涯トラウマを残したりする危険性を憂えていたのです。このような女性達が出て行くしかなかった。

現在、共産党の女性政策は激変しています。例えば売春の合法化に舵を切ったとしか思えないAV新法に賛成しています。長年売春反対の政党だったここが、ジェンダー綱領以後は違う世界です。ちなみにアメリカの民主党においてはジェンダー主義ばかりか、売春の合法化もデフォルトとなっています。そうです、共産は世界趨勢に負けたんです。かつてのコミンテルンのようなものを今も必要としているのかもしれませんね。

というような事を既に知ってしまった共産ターフたちは選挙に行っても「投票先がない」と迷うだけでした。中には代々共産という人もいますからね。親子で党に献身してきた人々です。演説会の応援に行って必死で頼み、そこで人気議員の名刺を貰い、喜んでバッグにしまい込み、相手を信じて待っていたという人までいます。そしてその人たちはもう「投票するところがない」わけです。つまり、他の野党も全滅なんですね。

私も迷いはしました。が、結局は保守に振り切りました。自分は反ジェンダーを一番の目標にしようと。そもそもその他の政策でどんな立派な事を言っていたとしても、長年献身した人も多い女たちに嘘をついて、追い込み、切り捨てた。結論？　共産党が一番嫌、でもね……。

なんでこんな事に、と時々思いますよ。私でさえ長文の提言を書いて送り、二人の議員さんの政策秘書さんが見てくれたはずですが。

さて外からこの百年政党を動かすものの正体とは、……。

反差別＝壁の取り払い＝弱肉強食、そして？　この女肉男食が前景化してしまったその根本には？

15　趣味と実益を兼ねた富豪達のゲーム、ジェンダーイデオロギー

結局ジェンダーイデオロギーがあるんですね。

肉体を軽視し、それに逆らうものを黙らせ、ヘイト呼ばわりし、その上で相手の肉体を収奪する。それが、ジェンダーイデオロギーです。自由意志と肉体を分離して肉体を契約意志の奴隷にする。これこそが人間の家畜化というか肉塊化です。そしてこれを女性に対してだけ特化するのが、そう女消ですね。代表的なのは未成年売春、子宮売買、さらに代理母産業。ことに代理母は徹底しています。――金持ちが貧困層主流の代理母を買い、その臓器に主に白人の卵子と精子を植えつけ、その場合は母体にホルモン剤等を投与します。買われた代理母は買い手の注文によっては細かい規制で縛られた生活を送らされます。時にはぼろぼろになって子供を産み続けます。ひとり産むだけだと生活出来ない場合も多いそうです。生まれた子が気に入らなければ買い手は捨てていくし、買った幼子を性虐待、売買する場合もあります。卵子を売っている白人女性が排卵誘発剤を使った挙げ句、その副作用が疑われるガンで三十までに死んだり、これまさに魂の優位による肉体の奴隷化です。過度の自由意志万能主義の帰結なわけです。その他に実録の拷問的ＡＶなども自由契約で、しばしば知的障害のある女性の「自由意志」に任せ

ます。なお、ＡＶ契約書は「書いてないことはやっていい」という設定です。他、業者の根幹に反差別思想があり、出演を断ると職業差別をしたと非難します。

こうしてみると、反差別、実は結構悪に流用されていますね。個人の身体の自己決定権？　いくら何でも限度があるでしょう。なのに、それだけを根拠にして弱者、貧乏人から、本来奪ってはいけない、金で買ってもいけない、唯一無二の肉体を奪っていく。グローバル化の下で格差と経済効率が剝き出しになった結果、出てきた究極の収奪方法です。

まさに国境なき植民地主義、帝国主義ですね。性別や属性（児童、同性愛者）を丸ごと奴隷化し、地球レベルの階級分化を現実のものとします。それは究極の貧困、人権格差を支えます。ジェンダーイデオロギーは肉体の性別と自認の性別を切り離し、さらに精神を肉体の優位に置き、正当化します。イスラム、キリスト教の悪用で唯心論の暴走です。――でその代表的な推進者というと？

ジョージ・ソロス、投資家にして慈善家、世界有数の大金持ち、ひたすら遠大な計画の実行にむかっていますね。ジェンダー主義はその大切な柱、ということは？　これ、人類の迷惑なんですねえ。まず、考えても見てほしい、そんなに世界で何番目かにお金を持っていて力もある人物が？　――議員でもなく国民でもないのに、一国の政策を金に物を言わせて動かそうとしている。しかも、その彼は投資家なのですね。損をしようと思っていたら投資など出来ません。人民から吸い取ってなんぼですよ。ていうか、――彼、毎年世界経済フォーラムに個人で参加して影響を与えているし、そればかりかオープンソサエティ財団を作り、そのお金をあちこちにばらまいている。ならば？　あっという間に世の中は良くなって来るはず。ところがなぜかちっとも良くなってこない。だったらやり方が間違っているか、或いは慈善家ならぬ偽善家をやっているかのどちらかです。例えば？

ガチのマルクス主義者で優れた翻訳家（『美とミソジニー』等）の森田成也氏や、ＡＰＰ研（ポルノ・買春問題研究会）が紹介するジュリー・ビンデル氏（ラディカルフェミニスト）の取材レポート、この中にはソロスのオープンソサエティ財団がどのように売春女性の権利を「守ろう」としているかが書かれています。でもそこにあるのは女衒主導で出来た売春組合の実態です。ほら、「自由意志に基づく」、熱心な労働権主張だって？　昨夜の重労働であくびを堪えてそれでも熱心にインタビューに答える当事者の疲労、金銭問題、……。

そもそもまず、やめたい女性を集めて、故郷に帰る旅費や商売の元手をあげたらどうなんですか？組合だのなんだのってわざとまわりくどい。もしこんなの合法にしてしまえば「生活保護を受けるくらいなら体を売れ」だの「いくつから売らせるか十代からか」などの悲劇を生むだけです。

その上女衒と一緒にする運動なのだとしたら階級闘争を忘れた社会運動となりナチスのドイツ民族団結とそっくりの連帯様式になってしまいますしね。

さてこのソロス氏、日本のジェンダー問題にどのように関与しているのでしょう。

オープンソサエティ財団はＬＧＢＴ運動への支援、という形で日本中に募集をかけています。野党の支持団体であるＮＰＯにも、これに応募する権利はおおいにあるわけです。この支援、女性への支援も同時に募集してはいるものの、そう、ご存じのように「トランス女性は女性である」ので結局トランス女性のひとり勝ちですね？　さらにはこのジェンダー運動が一般の女性、生物学的性別から逃れられない運命の女性たちをどこまで迫害するか？　その他にもソロス氏は東京都知事小池ゆり子氏を自宅に招いて一時間懇談し知事はその経済政策に感心しています。え？

別に経済政策だけだだって？　ソロスとゆり子はＬＧＢＴの話なんかしていないだって？　なお、――オープンソサエティ財団のホームページにはジェンダーイデオロギーなどないと大きい字で書いてありました（ジェンダーイデオロギーイズフィクションとね）。

小括、ＴＲＡ、トランスジェンダリズム、ジェンダーイデオロギー、なにしろ相手をひとつの名前で呼ぶと「そんなものはない」と言ってきます。彼らはいつも弱者の主語に寄生します。その上でさらに「ノーディベート」です。要するに主語も議論もない、何でも隠す、否認する。さあ、これのどこが一体民主主義なのでしょうか？

16　で、ＬＧＢＴとＬＧＢＴＱはどう違うのかね？　そもそもＱって何？

ＴＲＡの戦略、それは自分自身が誰か言わないこと、そしてどのような政策をとるかも言わないことです。そればかりかすべての名称、略称を新しくし、内容もころころと変えてゆきます。例えばＬＧＢＴとＬＧＢＴＱ、このＱにもふと気付くと二通りの意味があるんですね。しかもそれは真逆のようなかけ離れたもの。この二つを、交互に使いながら、すべてを混乱させまぎらわした上で、彼らはその本質を隠しながら国政に向かって行きます。

さて、Ｑとは何か？　まず、隠すしかない悪いほうの意味、Ｑ＝クイア、ＱＵＥＥＲ、まあ「変態」ですね。この運動がジェンダー運動の奥座敷、見るなの座敷です。というのも基本ジェンダー主義はクイア運動を含んでいて、このクイアとはもともと変態の意、最初はゲイの人々がそのような蔑視に抵抗し、わざと蔑称クイアを名乗ってみせ人権運動をやったはずなんです。しかし今ではこのクイアは同性愛、両性愛以外の性的少数者を表す言葉になっています。なお、その性的多様性の中には他者に迷惑をかける性癖もあり、それはＰＮＺ（後述）、一夫多妻、近親婚、等。

しかしはっきり言ってなんでこんな社会と無関係なものが同性婚という切実な気の毒な主張に混じっ

てくるのでしょう。でもこれこそウィルス化したジェンダーの怖い話なので、……。

　このクイア運動は先述のようにまず性別二元論を否定しています。現実も医学も、女性もないのです（男性も）。

　その他にもクイアにはパブリックセックス（＝性交のひけらかし）、家庭の破壊が根本にあり、人前で迷惑な性癖を主張する事は彼らの「正義」です。さらに穏健な家庭生活までも、家父長制、権力の産物として敵視します。海外の過激なＱのいるデモにおいては、行列中、生きた家禽の上で腰を使ってみせるアピールや、性器の露出、股間に張り型を付けてスカートを捲っている男性が活躍していたり、子供が性的な恰好をさせられてデモにいる事まであり、それが「人権」です。結果、カナダではもう最高裁において、一部の獣姦が「人権」で認められています（それも挿入なしだから合憲って、この件など子供を虐待するために動物を利用してやったことだのに泣）。既に海外のあちこちで近親婚、一夫多妻、子供とのセックス、屍姦等の権利も主張されています。

　また、ＬＧＢＴＱの後ろにＰＮＺとついたら、ペドフィリア、ズーフィリア、ネクロフィリアの意味です。無論条文にＱの定義を明示して、Ｑから反社会的なものを除いた上で保護する事は可能です。しかし基本ＬＧＢ以外の人で性的（嗜好まじりの）少数者のための「人権」ですからね。仮に本人の肯定は自由としても例えば、子供に一律で、そのような「教育」をするとしたら？　まさにパブリックセックスです。

　もし学校で使う性教育の本に五歳の子にオナニーを教えるとか十四歳の子にアナルセックスを教える

という内容が入っているとしたら、それは性的少数者の権利を公的にし全てに及ぼすという考えで行われています。海外ではこれらを読んで激怒し抗議した母親たちが極右扱いされ、時にはＱアノンという極右カルトの回し者だなどと誹謗中傷されます。

日本でも性自認、ジェンダー主義者が書いた、性教育の本が出ています。心の存在を身体と別にして強調するとともに、女の子と男の子の内臓の違いや接触による感染を軽視しています。心の性別を認めた上でオナニーの方法やテンガ（というものがあると私はここで知りました）について説明をしています。日教組で活動してきた女の先生はこのような女肉男食に与するのでしょうか？

他、ＤＳＤ（性分化疾患、Ｑとは無関係）の人々はＱのジェンダー主義者からインターセックスと言われることがあり、この呼び名を怒っています。たとえ生まれたときに一般的でないかたちの分化をしていたとしても自分達に性別がない事はない、どちらかに決まるものと事実を述べています。クイア理論は時にＤＳＤ（Ｑとは無関係）への侮辱を含んでいます。そもそも、クイアはポストモダンをはき違えているのです。

例えばガタリは症例そのものとは違うレベルで統合失調について論じているのだし、ラカンは自分の哲学の適用範囲をきっちり決めています。日本有数のルジャンドル研究者（知人）などは「器官なき身体？　ねぇよ、そんなもん」とまで言っています。これは思想的な意味ではなく、現実において、哲学を適用する際の態度の問題ですね。

おっと、もうひとつのＱの意味でしたね、これはクエスチョニング＝そうかもしれない、ＬＧＢＴかどうか分からなくて揺れる心、あるいは性自認が不確定な心という意味。確かにこのようなQは海外にもありますが、しかしこれ、「Qは変態」と言われた時の政党側の保険、言い逃れに便利そうですねえ。なおかつ、票田欲しさに仲間を増やしたい議員のスケベ根性とか。或いはタビストック誘導への道であるとか（泣）。

17　さて海外は少し夜が明けてきました、と言ってるうちに日本に第二波来襲

自分たちこそが真実に覚醒した側だと妄信する態度を英語圏ではウォーク、ＷＯＫＥとも呼んでいます。日本の報道統制下の大新聞であってもこのウォークという単語だけは書けると見えて、英国のジェンダー事情についてまことに分かりにくくではあるけれども漸く、毎日、東京が報道したところによると？

英国のトラス首相は、このウォーク（実はジェンダー主義、思想）を批判しウォーク（実はジェンダー政策）を止めると約束、二〇二二年九月、女性達の支持を得て政権を手にしました。トラスは庶民感覚のある左翼的なお家の出身だけど、今ではネオリベ極右の反ジェンダーです。超短期政権に終わりましたが女性に支持され、女性が首相になったこの影には、まさに新世紀変異株への抵抗がありました。その前の首相・ボリス・ジョンソンも、さらにはトラス後のリシ・スナクも反ウォーク、結局反ジェンダーは一貫していて、ここにも女性票は地味に来ているのでしょうね。この現象を支えるのは左翼から

転向し究極の選択をした労働者階級の女性達と、ノンポリでも一般の民意、穏健な現実主義者です。というわけで（怖いことは怖いですが）欧州各地でじわじわと極右が延びています。しかし考えてもみてください。

極右の公約が女子トイレの復活です。タカ派が止める「時代の逆行」、左翼が進める「女性の前近代化」。これ、新世紀文革と極右の現実路線を比較した挙げ句にする究極の選択としての選挙なんですねえ。

そういえば何よりも、個人でだけど国連特別報告者がジェンダー主義政権のスコットランドに勧告を出しました。これは大きいです。第一歩かも？

さて、この海外の夜明け、誰が困るんでしょう？

女性は安全になり、殊にレズビアンはコミュニティを取り戻せる。子供の悲劇は取り返しがつかないけれど、それでも今後は騙されて奇形にされ一生薬漬けにされるという危険性が減ってきます。私が心配していたのはドレスなどを見て「きれい」と思うような繊細な男の子と、女性差別や性暴力の被害で自分の体が嫌いになってしまった女の子の事です。

私の身内にも子供の頃、フリルのドレスや振りそでの好きな男の子がいましたが今は医者になり、長女も長男も理系に行っています。理系もフリルも、性別とは何の関係もありません。

しかし日本では「サッカーが好きなら男」、「ピンクが好きなら女」という判定を出しているTRAもいます。親に内緒でジェンダー相談に行けるNPOもあります。

このジェンダー治療に関し、今も次々と新情報が来て、あるいはずっと知らなかった情報に個人でやっと気付いて、何しろ私はその度に穏やかではありません。例えばテストステロンは膣壁が薄くなり裂傷を起こしやすいという以前から出ていた情報を私は最近たまたま見つけました。新情報だとタビストックが発達障害の子供にもトランス治療をしてしまっていた可能性まで出てきました。子供の頃、男になりたいと思っていた私、反差別教育もジェンダーカウンセリングも受けずに今ここに生きています。でも事態の修復を聞いていても、凍りつくような怒りは収まりません。

何か新事実が確実な媒体から報道される度、見るのは怖いけどなんとかして見ています。暗澹としつつ、「誰がこんなひどい事を、絶対に許さない」とだけ思うのです。でもなんというか全身が凍結してしまいます。出来るのはただ「この差別作家め」と言われながら書くことだけです。

アメリカでは各州で反ＬＧＢＴ法というより、子供へのジェンダー治療を禁止する法律が次々と出来ています。ただ、（反ジェンダーはともかく）この反ＬＧＢＴという言葉にはどうしても悲しいものがあるんですね。ていうか少なくともこの中の、ＬＧＢには何の罪もありません、どころか可哀相です。ひとつの弱者です。無論Ｔ当事者だって何も悪くない。ただ、このうしろにＴとくっついた事で、もとい、この本当は何も悪くないＴにジェンダーというウィルスが付いたことでこれだけの悲劇が起きてしまったのです。

そもそも何の罪もないトランスセクシャルがいます。また単なる女装なら秋葉原の男の娘などは普通男子トイレに行きます。問題は？

左系未手術のジェンダー主義者達です。ジェンダーを人権にして、現実を主観の支配下に置きたい人々、既に海外で彼らはこれだけの惨事を招きました。一体どうやって責任をとるつもりなのか？

そもそも、……。

西欧で少々夜明けと言ったって、南欧でも北欧でもこの悪夢へ、新たに突っ込んでいくところがいくつもあるのです。スペインはさらに政策を進め、十六歳以上の性別変更を解禁しました。フィンランドは子供の治療に縛りがかかっているものの、結局セルフＩＤ制を採択しました。

但し、西欧、スコットランドでは、セルフＩＤ制を採択したもののその時点で国民の四割が反対。その上に女性刑務所に凶悪犯トランス女性を入所させるという問題が起こり、結果、首相ニコラ・スタージョンが辞任しました。

これなどは民意（貧乏人の女子供とその亭主、息子、父親）と「反差別」（富豪、インテリ、マスコミ、学術）がどれだけ乖離しているかという良い例です。

なおＢＢＣではこのスタージョンの辞任理由の中で女子刑務所問題を報道しています。日本でも夕刊フジは報道してくれました。東京新聞も淡々と記述しました。

一方、朝日新聞、現時点で、スタージョン辞任の記事には刑務所のけの字も書かれていません。

というような複雑なしかし明らかに問題点が露わになっているこのジェンダー法をですねえ。作ろうという動きはさてどうなっていたか。一旦止まっていたけど、つい最近、思いもかけぬ獅子身中の虫、いきなり第二派がやって来ました。

日本では？　さて、日本では？　そう、……。

最近は一見小康状態が続いていました。何と言っても、最大の攻防、オリンピックレガシーにおいてター フ・自民党保守派連合はジョージ・ソロスに勝っているのです。

なお、対富豪だけではなくこれ立派に反米です。だってＬＧＢＴはバイデンの世界戦略ですから。とはいえ、国会に上程されなかったこの問題、……。

野党は閉会後もずっと審議していました。なおこの時に出来た与野党合意案というものはまだ国会には上程されていないわけですから、要するに衆議院サイトが（現時点）ネットに正式に出していたりする事はないはずです。で、もし？

もしそれらしいものが出ていたらそれは野党側の差別解消法案である事が多いんですね。

そしてこの与野党合意案、実は廃案にはなっていなかったのです。棚上げ状態で今後の展開次第だったという、……。

なので第二波がいつ来るかというのを例えば次のオリンピックだとか、私は想像していました。しかしまあそれならその間にジェンダー主義が危険なのってばれるだろうと。でもまさかこんな形で？

今年の節分、首相の秘書官荒井勝喜による同性愛者差別発言＝ＬＧＢですよね、どこにＴがあるのでしょう。そこから後は、……。

首相謝罪、荒井氏更迭、首相と当事者（一部ＴＲＡ）会談、森雅子首相補佐官がＬＧＢＴ担当となる、と一気呵成？

オリンピック以後のＧ７に合わせて、ＬＧＢＴ理解増進法を成立させる？

専門家に尋ねたらこういう時は普通、この棚上げの与野党合意案から議論が始まるそうです。すると？

心配なのは例の「性自認を理由とする差別は許されない」という言葉です。たとえ条文がネットに出ていないとしてもこれは一番紛糾した部分として報道されています。ええ、ひとりの人間がそう言っているぶんには自由に言って良い発言ですよ、でも、法律にこのまま入れたら？

独裁宣言です。

まずここには誰がどのような差別をするのかという定義も、そもそも差別とは何かという定義も書いてない。高市早苗氏はこれ故に懐疑を呈したのです。だってそもそも、……。

取締りの対象になるものを定義しないで法律を作れるのか？　罰則がないとしても理念法ですから、行政に目一杯影響して来ます。

あと、程度の問題ですね例えば、軽い「失言」でも人命より大事ですか？　そもそも、女子トイレでばらばらにされて殺されたり、同居の一家を皆殺しにされたりする事より「男が女だと」言い張る事が大事なんですか？　女子刑務所に軽犯罪で入って、自称女の連続強姦犯に強姦されて妊娠してしまう事よりも、ジェンダー主義者の言い分を通す「反差別」の方が大切なんですか？

ていうか私なんか別に差別発言も何もしていません。私がいつ同性愛はいかんなどと言ったでしょうか。結婚出来ないのは気の毒だと言う意味の事を、北原みのりさんのｎｏｔｅにまで書かせてもらいま

17　さて海外は少し夜が明けてきました、と言ってるうちに日本に第二波来襲した。

私は差別なんかしていません。私がしたのは正しい報道です。真実医学的事実に基づいた切実な告発です。それがいつ「許されない」になったんですか？　勝手にするな！

性別を変えられると子供をだまし体が奇形になる薬をかけ、一生薬漬けにしていく事、子供をトイレで襲う変態が弱者面出来るシステムを作る事、しかも当事者の多くはそんなジェンダー体制に大反対なのに。あるいはその逆にレインボー旗の前でスカート姿の写真を撮っている少年さえ、一度罪を犯せばなりすまし、ただの犯罪者として切り捨てる事、……。

親が子供の健康を心配した時に「この差別者め」と言って逮捕する事、そんな事の何が「反差別」なんですか？　母の日というおそらく世界中で一番日本人の好むはずの日を、「出産持ちの日」とか生んだだけみたい、家畜みたいに言い換えることが、反差別なんですか。或いは逆に「育ての親デー」と言って母体を否定する事がポリコレなんですか？

そもそも女という言葉を使えなくなったら日本文学の大半は死にますから。エンターテイメントも無事ではありませんから。

ねえ、「週刊女性」は「週刊子宮人」ですか？　「女性セブン」は「生理人セブン」ですか？　『戦争は女の顔をしていない』は『戦争はまんこ人（すいません下品で）の顔をしていない』ですか？

いいですか、定義、程度の設定なきままに「性自認を理由とする差別は許されない」というのはこういう事なんです。しかも運用の仕方は「当事者が差別と感じたら差別」。ふーん、……。

一方、同性愛理解増進法、性的指向（同性に限定すればBも含められる）に関する理解増進なら、問題は少しです。

とうの昔に通っていたでしょう、あの、ジェンダーさえついていなかったら性自認さえなかったら。同性愛者の方はもう気付いていて、既に性自認に反対している人もいます。性転換者の人も声をあげる人は反対が目立ちます。

本当に同性愛だけなら第一歩になったのに、アウティングについて、その他、悪用や脱法行為について、各々の人権を調整する議論を始めれば良かったのに。でもね、……。

何の定義もないのに「差別」ってなんだよ勝手に差別と認定しただけで「許されない」ってなんだよ。タープはさんざんそういう目にあわされて来たんだよ。

そもそも性自認ってなんなんだよ、唯心論だろう？　肉体は？　現実は？

さあ性自認、性自認、性自認、最後に覚えてください、これもジェンダーです。ほら、ジェンダー・アイデンティティーの新訳です。変異株の中でも法制化で最悪のものになるグレムリンです。私の心に私の青春とともに、私的にあった時はモグワイだったものです。でも今はファシズムの種になった。性自認の法制化？　これさえなければ性的少数派も好きな人と結婚出来る道に立てたんです。

すいません、興奮してしまいました。それでは少し、戻ります。

オリンピック以後どうなっていたか、後、国内外のＴＲＡの動き。

与野党合意案が棚上げになっていた時点からの話をします。

まず与野党合同の取組、表立ってのものがなくなりました。自民は自民だけでこの政策に取り組むことになり、ＬＧＢＴという名称もなくなり性的少数者という主語になりました。これで少しは物事の進行が遅れるだろうと、私はややほっとしていたところがありました。まあ仲間は油断なんかしていませんでした。でも与党には他の問題が山積みでしたから。

例の狙撃から統一協会、灯油、食品値上がりなど他の問題が押しています。でもそんな中、ＴＲＡは資金も人手も豊富、面子は今までとほぼ同じ、結局着々とやってのけています。「男を女だと言わないと人が死ぬから」です。中央は駄目でも地方自治体に性自認を推し続け、埼玉県、石川県（ここの知事が虹推しでなおかつ統一協会の支援を受けていました）等現在、一都一府、五県が占拠されています。

でもまあ、全体から言うと「ばれてきたね？」と私は思っていました。でも甘かったです。そんな中で、……。

Ｔの独立かな？　世界趨勢で日本もＬＧＢに逃げられたのかと（自分的には）思うような動きがありました。その一方で手術要件の撤廃に向けての仕切り直しではないかとも想像してみました。でもまあどっちにしろ、……。

タビストックの悲劇にどう「対処」するのか、さすがに日本でもこれを報道するだろう、と思って私は見ていたのです。が日本のマスコミはばっくれてしまった。しかしＢＢＣがやっているのに。子供の生命、身体、どうでもいいんですか？

まあこうなるとTRAの動きは例によってです。ここまでの悲劇も報道されなければ無かったことにする。国内外も含めて目立つものを列挙します。aからdまであります。

a『トランスジェンダー問題』

bトランスマーチ

cトランスジェンダー国会

d海外トランスジェンダー大量殺傷事件（犯人はトランスジェンダーの一種であるノンバイナリーだった）という事に対する日本TRAの反応と、後はでっかいのがひとつ……。

a『トランスジェンダー問題』という題名の本が出たんですね。いろいろばれてきた後で出た本、何よりもタビストック閉鎖の後で「議論は正義のために」と副題がついている本の日本語訳です。原典はタビストック以前のものです。で？

英国で騙せなくなってきたものを日本に持ってきてどうしたいのでしょう。私が追放された、私の出身誌である「群像」という雑誌の書評記事に「『トランスジェンダー問題』を語り直す」と書いてあるのを見て、語りなおしてももう隠せないよなとは思いました。なお、この書評子は海外に向けても活動している方です。例えば、キャスリーン・ストック教授、女子刑務所問題で議論をしようと言ったこのストック先生の論文等を「差別」、としてキャンセルする運動をしておられます。書き手としては新しい人ですが既に「群像」の柱になっていますね。しかし女子トイレ問題を軽視していると共にもっと大きな問題にも気付こうとしません。

無論、『トランスジェンダー問題』に書かれたトランス肯定治療の低影響性は、既にタビストックが閉鎖され、千人規模の集団訴訟が始まろうという段階でもう死んでいます。

さて、この本を推奨しているのもいつものメンバーです。私の前作『笙野頼子発禁小説集』に収録してあるエッセイについて「読んでないけど差別的（要約）」と言った水上文氏は、今回もまた、トランス肯定治療の安全性をこの本から持ってきてツイートしています。

こういうのを見るたびに私は心が凍りつきます。別に自分がされたわけではないのに、結局男になれない自分と折り合ったのに、それでも過去の何かが蘇ってくるせいもあって冷たい怒りに支配されてしまいます。

そもそもなぜ日本ではタビストックを報道しないのでしょうか？　すれば「トランス差別」になるのでしょうか？

さらに小山エミという人物、この本の帯を書いているけれどかつて、女子トイレに入ってきた犯罪者と心が女の雄体を見分ける方法について、悪いことをするのが犯罪者だ、と発言しています。でもこの主張、私にはただ「殺されるまで待っとけ」と言っているようにしか思えません。しかも実はこの主張、日本学術会議の提言と同じ意見です。なお、タビストックについて、この人物は？

ただ知らなかった、とだけツイッターで発言しています。だけど既に、もう知りましたよね、知りましたよね、知りましたよね？

それでまだご本人がトランス肯定治療にとどまるのならば、八百人の子供たちの運命はどうでもいいのでしょうか?

その子たちの親の前で何か言えるのでしょうか。

しかもこの本の解説で清水晶子氏は「笙野は山谷えり子に投票した、フェミニストでありながら(要約)」と平気で書いています。私が、リベフェミ、クイアフェミの類に仲間呼ばわりされるとは不条理(引用山あり谷ありえり子あり)千万です。私とこの人物では内ゲバですらないんですよ、そもそもこの人が東大の教授なのも、こんな騒動が起こるまで私は知りませんでした。はっきり言ってこんな人なんの関係もありません。何かもうあなたたちリベフェミやクイアフェミと関係あるように言われたくないですね。

呼ばんといて、フェミニストって、野良フェミ文学者で十分やし。ていうか、……。

私笙野頼子は文学者であるとと共に生涯一ターフ(凡婦とかそんな感じ)で十分です。ターフは学識はないけれど身体、現実を捨てないのでなんならしばらくターフ文学者で良いかとも思ってます。なお、この解説中、わたしの名前を出しておきながら清水教授は日本バトラー有識者ナンバーワンの千田有紀氏には言及出来ないでいます。それだけでもう十分ジェンダー専門本としても終わっています。

その上この本の英語版のアマゾンレビューを見たら該当資料に行き当たらないものばかりと嘆いているのがあって、私を批判していた李琴峰氏の文がネットで二次資料ばかりと批判されていたのを思い出しました。李氏もまたいつものメンバーであって(TRAというのは少数の同じメンバーがずーっとあっちこっちに出てきます。掲載は現代書館の「シモーヌ」というジェンダー主義者が主になったフェミニズム雑誌です)。私と芥川龍之介の「河童」を読んだことがないと言い切った李氏はその後この『トランスジェンダー問題』の書評を赤旗に書いています。

また、この文中李氏の先生でもある清水氏が、解説の中で私の名前を呼んでいるにもかかわらず、李氏は赤旗に笙野のしょの字も書きはしません。冒頭にあるように、……。

ちょっと前の私は選挙総括を書くような共産支持者、それが「山あり谷ありえり子あり」に投票するまでになった。でもそんなの紙面に出せば党内で何か変な事が起こっていると疑う赤旗読者もいるに違いないですよね？　さらに李氏は「一部の有名フェミニストが」反ジェンダーをやっていると書いてもいて、その名前も出せません。さて現在、赤旗に登場する「有名フェミニスト」さえも時々、党の方針から離れた発言をします。

また、選挙連敗の共産党は今、赤旗でも統一協会批判に必死のようです。さらに最初はＬＧＢＴだった表示もいつのまにかＬＧＢＴＱになっています。要するにクイアは困るがクエスチョニングなら、数は増えますよね。でも「私は被差別者かもしれない」と言いはじめた人らに対しても「差別は」、「許されない」にするとしたら、そりゃーもう言ったもん勝ちでしょう？

次に行きます。

b昨年十一月、東京トランスマーチが行われました。これはＬＧＢＴではなく、トランスの独立した行進です。しかしハイデガー的、ドイツ民族的団結であるのはＬＧＢＴと変わりません。つまり同じＴ

の中で手術したい人を否定しながら、その苦労を「大変なんだから」と、自分たちのもののようにしているわけです。これ、共同通信によれば千人の当事者とアライがパレードしたとの事（でも『トランスジェンダー問題』には四百人とある）。かつて、ＬＧＢＴのすごくコアな支持者数について、「千票くらいでしょ」とある自民党関係者が私的に発言したと、私は接触のある人物から教えて貰いました。しかしこの千票というのはさすがに少なすぎる見積もりかと思いました。だって、……。

　このようなパレードに来る人さえ千人もいるという報道なんですから。その他に国政選挙のよだかれん氏は五千票以上も取っているわけですし。千票はないでしょう？

　さて、このデモで画期的な点を二つ述べます。それは――まずセルフＩＤ制について、さらにターフ達について、です。

　積年、自分の性別を自分で決める、そんなセルフＩＤ制などというのもはやどこにもないと、日本のＴＲＡはターフに言い続け、馬鹿にしてきました。例の李琴峰氏も私の文章を「シモーヌ」でデマと断じています。しかし、この「自分の性別を自分で決める」セルフＩＤ制、今回のマーチで主張されました。デモの主要人物の宣言的文章にはっきりそう書かれ、少なくとも参加者千人は自分の性別を自分で決めることに賛同しているのです。これ、女湯奪還（＝侵入）デモよりももっと根源的な主張ですよね？

　もうひとつ、先のターフについて、マスコミに常に出るような主要活動家達の多くはこのターフが迫害される件について、「それは気の毒に。でもうち関係ないですから、見たこともないですし」で済ませていたというのに。つまり巷の自称共産党支持者達が目茶苦茶していても、知らんぷりだったのに、なんと今回、……。

FUCK TERF のプラカードや、「反売買春フェミ（＝大半ターフ笙野注）を踏みしだいてこれからも我々は生きていくのである」という声明が公的なデモにおいて出現したわけです。自分達で自分らの悪行の証拠を出した？　当然、ターフ達の主要団体はこれに抗議しました。結果？

トランスマーチ主催は、それ（FUCK, 踏みしだいて）で良いのだという見解を表しました。差別者はやっつけても良いという主張です。ちなみにFUCKというのはロックな言葉だから良いのだという説もあるがやはり海外では犯せを意味してもいる悪い言葉だということです。ていうか公的な場所でそんなんいうたらやっぱり問題でしょう？

でもとりあえず彼らはターフには謝罪しないそうです。存在自体を可視化したとしても踏んでそのまま通るという意味だったのですね？　マーチに賛同した野党にも聞いてみた団体があったのですが、国民民主党と新社会党以外は返事さえ無かったという事です。

と言っていたら性的少数者の多い新宿区でこの二つに対して区が勧告を出しました。結果は？　今のところ動きはありません。

cトランスジェンダー国会、と本人達が言っているだけのただの院内集会が行われました。但しこの院内集会は議員の斡旋がないと出来ないと思います。なので一定の公共性はあるのですが、さすがに国会という表現は無理なのかと。ていうかターフのある団体は去年こういう集会をやっています。しかしそんな大層な言い方はしませんでした。集会と同時に記者会見をもやった彼らについて不当にも当時の大新聞は何も報道しませんでした。朝日などさんざん聞いていって一行もなしだったということです。児童への治療の危険性まで事実確認した上で、写真も見せて告発した集会でしたのに（泣）。

なお、今回の「トランスジェンダー国会」は手術要件撤廃が重要視されており、例えばある裁判において性器を手術する事よりもすね毛の方が、男の本質を表すと主張したトランス男性も出席していました。不思議だったのは、今回、マスコミ等で一番有名なトランス男性の姿がなかった事でした。このお方はトランスユース用相談機関の主催者であらせられ、ご本人はトランス肯定治療推進派、にもかかわらずご自分は薬も手術もしていないと言明しておられる方、無論、御不在はたまたまかもしれません。しかし私と何人かの連絡可能なターフは「タビストックについて何らかのコメントがあるのでは」と期待していました。

dアメリカ・コロラド州で十一月十九日、「トランスジェンダー追悼の日」に先駆け、性的少数者の集まる店で行われた集会において、ひとりの男が銃を乱射し五人を殺害、二十五人が負傷しました。店主はヘイトクライムによる犠牲と主張。しかし、犯人はノンバイナリーの男（＝私は判っててこう言っています）でした。で、先述のように、結局犯人はトランスではなかった、なりすましだったという事にされるのですね？　罪を犯した人間を自分達から排除することでこのジェンダーイデオロギーは論理整合性を保とうとします。

しかし国家公認で自分も自認の人や、ジェンダー活動家、ＴＲＡでもある人がそこにはたびたび含まれています。というか、犯罪を犯さないのが性的少数者だというのはまさに定義の作り込みでしかないですし。一部の人が犯すだけ、というけれど殺人でもなんでもするのは人類のごく一部です。でもなんにしろ殺された人は絶対に戻ってこられません。にもかかわらず、……。

事件をひき起こすのは犯罪者で、トランス女性は犯罪をしない、それを混ぜるのはデマで偏見で憎悪煽動だと彼らは抗弁します。でもね、……。

女湯ひとつにしたって、心が女の陰茎と心が痴漢の陰茎を例えばがんぜない女児や発達障害の女性や子供を三人連れた妊婦等が、或いは白内障手術前の老婆などが、一体どうやって見分けられるでしょう。というかどんな陰茎でも女子スペースに、使用者として入ってくるからこそ問題なのでしょう？　そうしてしまう制度は結局混乱と憎しみしかもたらさない。なのになぜわざわざそんな制度を作るのでしょう？　一番簡単なのは男子トイレのマークの横に女子マークを貼り、女子トイレをそのままにしておく事です。それが嫌なら女子トイレの数を減らさないようにして、広くてきれいな監視カメラつきの誰でもトイレを作る事です。風呂トイレ内犯罪の重刑化も必要です。しかし今のようにその逆をしていれば女肉男食、弱いものから滅んでしまいます。

何よりかにより、これもう内ゲバとかそんな問題ではないでしょう？

ＬＧＢＴって言ったときに、皆殺しだの五人死亡二十五人傷害だの、どう見ても立派なヘイトクライムですよ。誰が誰に？　性的少数者の中にでも利益の対立がある。こんな酷い事件が起きるのに共闘すると言うのは、無理な団結の中で強者が猛威を振るいたい為ではないんですか？

無論、一方で殺されているトランスジェンダーもいます。殺すのは男性です。

ご参考までに、……。

トランスジェンダーは二〇一九年に世界で三百五十人程度殺されています。しかしその四割はゲイフォビアのブラジル、また殺された中の六割は体を売っていた人物です。殺した相手はその夫が多く、背景に麻薬、暴力、人身売買と一筋縄ではいきません。

一方体力格差と女性差別が原因で殺されるフェミサイドは年間八万から九万、その中には女の子を間引きした数は含まれていません。インドだけで年間四十万人超殺されます。その上性犯罪の99パーセント以上は男性が起こし、被害を受ける女性は後を絶ちません。それでもなりすましの自認女性を、女性スペースへ入れて「すべての差別をなくそう」と言いたいですか？　今ジェンダー主義者のやっている運動はまさにそれなんです。

なお、女性の記念日が少ないのにトランスジェンダーの記念日が多いのは、富豪や財団がそれを支援する、効果もあっての事だというレポートがあります。

で、最後です。けして美しい総論などやっている場合ではありません。


世界は夜明けだが今の日本はという纏めを書こうとしていたら、青天の霹靂。

第二波来ました、という話ですね。

そもそもこの少し前にＧＩＤ特例法手術要件が、憲法十三条違反であるかどうかの判断をする裁判が、最高裁小法廷から大法廷へと回付されました。性器の手術をせずに戸籍変更をしたいという現状男性からの訴えで判決を出すのです。二〇一九年に、実はおなじ問題で合憲＝手術しろという判決が出ていま す。しかしその時に既に裁判官二名からの疑問と、時代の進展にあわせて今後も考えていくという判断 がされていました。ある尊敬すべき専門家の予想によるとおそらく今回も合憲になるであろうという事 です。しかし、少しでも裁判官の中から反対意見が出たら、それは手術要件撤廃の議論の契機になるの ではないかという、……。

そしてそれを憂えている間に例によって、というしかない状態で、……。

与野党合意案というゾンビが蘇りました。

今からまた仲間、勇気のある女たちはあちこちへ走っていくのでしょう。私は仕上がりかけの私小説（自信作）を放置して、一番最後の章を大幅改稿しました。あ、そうそう、……。

ＴＲＡの正式名称を書くといってここまで忘れていました。案外に普通です。それは、――TRANS RIGHTS ACTIVIST これ訳したらトランスの権利運動をする活動家というだけ、でも彼らはまさにその事実を引き受けません。つまり、ＬＧＢの権利を食いトランスセクシャルを押しのけ、普通の異性装者を面倒に巻き込み、ＤＳＤにまでも迷惑を掛ける。そして女を消し、子供の未来を薬漬けにして医療複合体に食わせてしまうというその正体を隠そうとします。

ジェンダー、性自認、危険ですご注意を。何があっても、条文に入れないで。それは個人個人の心の中でしか生きられない、そのままにしておいて欲しい大切な何かです。怪物化させないで。

私は実在の彼らを批判しはじめて五年程になります。

ポストモダン、クイアのもたらす未来の地獄絵図として書いたのは遅くとも二〇〇六年からです。冒頭に書いた『水晶内制度』はその前哨戦です。今の心境は？　これは発禁小説と同じ事です。逮捕されるまで書いて報道します。

『笙野頼子発禁小説集』を好意的に取り上げてくださった、東京新聞、北海道新聞、週刊新潮、婦人画報（とその書き手）に感謝します（みすずのアンケートとその書き手にも）。

ここには名前を書けないけれど様々の情報をくださった方にお礼申し上げます。

私が本を献本したいと言ってみても「名前を名乗れないし自分で買うから」と言ってくださった方、申し訳ありません。

伊東麻紀さん奥田幸雄さん森奈津子さん（と「まつむし@女体化の人」さん）たちのツイート（リンク）情報に感謝します。途中で黙らされ消えて行ったアカウントたちの無事を祈ります（泣）。

ついで、この校了直前、ローマ教皇が反ジェンダーを表明したのを喜びます。

やはり校了直前、富士見市、行橋市、杉並区、渋谷区から、少数でも女性の安全を守ろうとする市議区議が声を上げた事も喜んでいます。

最後に、――この校閲をまたしても無償で引き受けて下さったＮｏ！セルフＩＤ――女性の人権と安全を求める会（共同代表、石上卯乃さん、桜田悠希さん）にお礼申し上げます。

終わり

〈著者紹介〉

笙野頼子（しょうの　よりこ）

1956年三重県生まれ。立命館大学法学部卒業。

81年「極楽」で群像新人文学賞受賞。91年『なにもしてない』で野間文芸新人賞、94年『二百回忌』で三島由紀夫賞、同年「タイムスリップ・コンビナート」で芥川龍之介賞、2001年『幽界森娘異聞』で泉鏡花文学賞、04年『水晶内制度』でセンス・オブ・ジェンダー大賞、05年『金毘羅』で伊藤整文学賞、14年『未闘病記―膠原病、「混合性結合組織病」の』で野間文芸賞をそれぞれ受賞。

著書に『ひょうすべの国―植民人喰い条約』『さあ、文学で戦争を止めよう 猫キッチン荒神』『ウラミズモ奴隷選挙』『会いに行って 静流藤娘紀行』『猫沼』『笙野頼子発禁小説集』など多数。11年から16年まで立教大学大学院特任教授。

女肉男食
ジェンダーの怖い話

2023年4月6日初版第1刷発行
著　者　笙野頼子
発行者　百瀬精一
発行所　鳥影社 (choeisha.com)
〒160-0023 東京都新宿区西新宿3-5-12トーカン新宿7F
電話 03-5948-6470, FAX 0120-586-771
〒392-0012 長野県諏訪市四賀229-1（本社・編集室）
電話 0266-53-2903, FAX 0266-58-6771
印刷・製本　モリモト印刷

ISBN978-4-86782-016-2 C0095